¡CUIDADO!
TUS GESTOS TE
TRAICIONAN

Título original: ATTENTION! VOS GESTES VOUS TRAHISSENT
Traducido del francés por Miguel Portillo
Diseño de portada: Editorial Sirio, S.A.
Ilustraciones: Vincent Gagnon

© de la edición original
2003, Les Éditions Quebecor
7, chemin Bates
Outremont (Québec)
H2V 4V7

© de la presente edición

EDITORIAL SIRIO, S.A.	Nirvana Libros S.A. de C.V.	Ed. Sirio Argentina
C/ Panaderos, 14	3ª Cerrada de Minas, 501	C/ Paracas 59
29005-Málaga	Bodega nº 8 , Col. Arvide	1275- Capital Federal
España	Del.: Alvaro Obregón	Buenos Aires
	México D.F., 01280	(Argentina)

www.editorialsirio.com
E-Mail: sirio@editorialsirio.com

I.S.B.N.: 978-84-7808-560-6
Depósito Legal: B-10.359-2008

Impreso en los talleres gráficos de Romanya/Valls
Verdaguer 1, 08786-Capellades (Barcelona)

Printed in Spain

Guy Cabana

¡CUIDADO!
TUS GESTOS TE
TRAICIONAN

editorial Sirio, s.a.

AGRADECIMIENTOS

Esta obra ha sido publicada gracias a los apoyos y muestras de simpatía de los numerosos participantes en mis seminarios y conferencias. Por fin puedo hoy presentar este libro, algo que he deseado desde hace muchos años. Les agradezco desde lo más profundo de mi corazón sus muestras de interés y su apoyo continuo.

No puedo soslayar hablar de la pluma increíble de Stéphanie Lessard, que, sin descanso, ha puesto tanto rigor, atención y pasión en el libro como yo. La suya es una profesionalidad sin fisuras. Le ofrezco una sonrisa que expresa el mayor de los alivios y mi más sincero agradecimiento. También quiero darle las gracias a Vincent Gagnon, que con sus ilustraciones ha sabido dar vida a los mensajes que tantas ganas tenía de expresar. A veces he tenido la impresión de que los textos acompañaban a las ilustraciones, y no al contrario. Le estoy enormemente agradecido a este joven de gran talento por expresar en silencio tantas cosas y por ser el extraordinario artista que es.

Mi agradecimiento también va dirigido a Sylvie Desrochers por dedicarme su valioso tiempo y sus comentarios. Y gracias a Jacques Simard, mi editor, por su enorme paciencia y su confianza. Quiero testimoniarles a ambos mi gratitud mediante una inclinación de cabeza.

Finalmente, guardo mi agradecimiento más cordial para los miembros de mi familia, que continúan creyendo en mí. Su simple presencia y su calidez me animan a proseguir mis sueños. Dirigiéndome a ellos, coloco las dos manos sobre mi corazón y afirmo: os quiero.

PREFACIO

¿Tienes la impresión, sin poder confirmarla de manera concreta, de que tu interlocutor te oculta algo? No podrías afirmarlo con seguridad, pues careces de los elementos que podrían permitirte confirmarlo más allá de toda duda, pero sí tienes el presentimiento de que la actitud de esa persona no corresponde a lo que dice, y que incluso da la impresión de estar mintiendo descaradamente.

Ten por seguro que tras finalizar la lectura de este maravilloso libro de Guy Cabana podrás, si inviertes el tiempo necesario y perseveras en la práctica de las ideas y principios que aquí aparecen, corroborar tus impresiones y verificar si los gestos de tu interlocutor concuerdan verdaderamente con el lenguaje que utiliza.

Guy Cabana es un consumado maestro en este arte y la lectura de su obra te entusiasmará. En ella todo aparece presentado con gran claridad. Se analizan todas las partes del cuerpo, igual que todos los elementos requeridos para saber leer los comportamientos subyacentes de cualquier conversación o para verificar la autenticidad de las palabras de aquellas personas con las que entres en contacto. Incluye un profundo análisis de todos los aspectos de la expresión humana y de los innumerables mensajes gestuales y espontáneos que acompañan una conversación, señales que el autor nos enseña a descodificar, pasando por los cambios bruscos en la expresión corporal, las sonrisas, los gestos, las miradas y otras señales que dicen mucho más acerca de la actitud de quien te habla que las palabras que emplea para hacerlo.

Con este libro, aprenderás a escuchar con los ojos y a impregnarte del lenguaje no verbal de tu interlocutor a fin de descubrir una confirmación de sus propósitos o un indicio que te empujará a ponerte en guardia. Descubrirás que en el transcurso de una conversación entre dos personas entran en acción todas las partes del cuerpo: mientras que ciertos gestos son auténticos y previsibles, la mayoría son inconscientes y totalmente involuntarios, y revelan una mina de informaciones para cualquiera que sepa interpretarlos.

Este libro interesará en especial a los profesionales de las ventas y a la gente dedicada a los negocios que entran en contacto con todo tipo de individuos a diario. También será de interés para quienes, en el marco de sus funciones, deben comunicarse con otras personas y saber rápidamente si el otro está siendo sincero o si su discurso oculta emociones o sentimientos que prefieren disimular.

¡Pero cuidado, sé auténtico!, pues este libro permitirá también que todas las personas que lo lean y lo pongan en práctica puedan verificar la sinceridad de tus declaraciones. ¡Depende de ti si tus gestos te traicionan!

Buena lectura.

Michel Bélanger
autor de *Champion de la vente*

PRÓLOGO

Las palabras sin gestos son
como un cuerpo sin alma.

Guy Cabana

En el transcurso de mis veinticinco años de enseñanza, y también a título de conferenciante profesional, me ha sido posible observar a mucha gente y hacerme consciente de una multitud de mensajes gestuales. Este libro constituye la culminación, el fruto de las investigaciones y observaciones recogidas a través de mi práctica. Nos invita a comprender el significado de los gestos involuntarios y a observar a las personas para llegar a leerlas como si se tratasen de un gran libro abierto.

Es posible llegar a calar a las personas con gran agudeza gracias al hecho de que el lenguaje corporal proporciona las herramientas esenciales que permiten interpretar fielmente un mensaje concreto. Este lenguaje silencioso desvela emociones y sentimientos con más transparencia que cualquier palabra pronunciada. Tampoco hay diccionario alguno que pueda revelar los pensamientos con tanta claridad como la expresión corporal.

Hay algo que está muy claro: la comunicación no es únicamente un intercambio verbal. Por mucho que nos esforcemos, todo gesto involuntario desvela una verdad oculta de una manera incluso más clara que el lenguaje hablado. El proceso de comunicación no implica únicamente palabras, sino también la tonalidad de la voz y las actitudes que van acompañadas de gestos. Y cuando comprendemos que esos elementos son indisociables, desarrollamos enormemente nuestra capacidad de comunicarnos con mayor eficacia.

Esta forma de comunicación universal que es la expresión corporal aparece traducida en el presente libro bajo forma de guía práctica de los diferentes aspectos que la componen. Así pues, se explica la gestualidad y la forma de descodificar este lenguaje increíblemente asombroso (a menudo designado con la expresión **lenguaje corporal** o **comunicación no verbal**).

A lo largo de este libro descubrirás las lecciones particulares de los gestos humanos que te permitirán traducirlas en palabras concretas, pues examinaremos la autenticidad de los diversos tipos de comportamientos y actitudes de las personas. Esta obra proporciona las herramientas necesarias para poder identificar los indicios que alimentan las cuatro categorías de gestos: imprevistos, expresivos, técnicos y mímicos.

Todos los días nos hallamos sumergidos en múltiples situaciones propicias a la observación y la interpretación de este vocabulario silencioso. Los ojos, la cabeza, las manos, los brazos y las piernas son, entre otras, partes del cuerpo ricas en expresiones que reflejan temores, alegrías, decepciones, miedos o necesidades.

Al final de su lectura habrás examinado los diferentes tipos de gestos que pueden aparecer de manera simultánea o sucesiva en una conversación. Será como observar por el microscopio el proceso de movimientos inherentes a un intercambio verbal, y poder descifrarlos. Esta observación rigurosa de los comportamientos y los gestos te permitirá comprender numerosos aspectos de los individuos con los que te comunicas, como puede ser su situación real o sus verdaderas intenciones. Saber interpretar los gestos de manera adecuada permite desvelar los mensajes verbales con una precisión inusitada.

Tal y como demuestran los estudios realizados, la gestualidad no sabe mentir, y a menos que se sea un manipulador muy hábil, los gestos se convierten consciente o inconscientemente en un escaparate de nuestros pensamientos, de nuestras impresiones y nuestras realidades. Aunque no de manera intencionada, participamos en esa forma de lenguaje desde que nacemos.

Esta obra despeja el camino para alcanzar la comprensión y la descodificación del lenguaje corporal. Uno de sus objetivos es permitirte atravesar los secretos que las personas de tu entorno intentan disimular tácitamente, traduciéndolos en gestos y palabras. Saber leer e interpretar los mensajes subyacentes nos permite interpretar con veracidad una conversación. Este método de escuchar con los ojos te aportará muchas sorpresas, un cierto sentido de la aventura y una percepción de la comunicación distinta de la que pudieras conocer.

Finalmente, no puedo más que animarte a descubrir y a confirmar por ti mismo todas las informaciones y significados contenidos en este libro, pues el arte de dudar continúa siendo el mejor camino para aprender o para verificar lo que se sabe.

1ª PARTE

Hablar es sembrar; escuchar es recoger.

Plutarco

Los mensajes silenciosos

En cierta medida, todos nosotros somos observadores. De vez en cuando percibimos una actitud o un gesto particular que nos lleva a hacernos preguntas, sin que estemos seguros de poder extraer conclusiones válidas. Aunque el ser humano es un espécimen evolucionado, provisto entre otras cosas de la palabra y la capacidad de hablar, no es menos cierto que en principio fue un animal instintivo y físico. A pesar de que utiliza palabras, sus gestos continúan revelando sus verdaderas intenciones y sus estados de ánimo.

Desde los principios de la humanidad, el lenguaje verbal ha sido la herramienta de comunicación más importante elaborada por el ser humano. La elección de los vocablos y expresiones que posee –así como otros atributos, como la verticalidad y una inteligencia desarrollada– le permitió elevarse hasta la cima de la jerarquía animal. Este proceso de intercambio entre individuos incluye las palabras utilizadas en el lenguaje oral y escrito, y constituye el principal aspecto de la comunicación. El otro aspecto es el del **lenguaje corporal.**

Por otra parte, la etimología del término comunicación nos recuerda que la transmisión de información no consiste simplemente en decir (escribir) o en escuchar (leer) algo: evoca una cierta comunión o un compartir ideas y sentimientos en una atmósfera de relación mutua.

Así pues, la palabra es, entre otras cosas, la acción de verbalizar lo que se desea o lo que se piensa. Mientras que la verbalización actúa como un vector de nuestra voluntad de acción o de reacción frente a un comportamiento o una palabra específica proveniente de otra persona o de un grupo, el lenguaje corporal traduce inconscientemente la imagen real de lo que sentimos.

Estas dos esferas de comunicación –la palabra y el gesto– forman parte manifiesta de la evolución de la civilización. Los grandes historiadores se ponen de acuerdo para decir que la evolución de la humanidad radica sin duda en la invención del lenguaje. Hoy en día se sabe que la comunicación verbal ha sido la esencia misma de la vida en comunidad. Por otra parte, los científicos afirman que el lenguaje constituye el poder más grande sobre su entorno con que cuenta el ser humano. Ahora bien, aunque los paleontólogos hayan demostrado que 50 000 años antes de nuestra era el ser humano no tenía disposición alguna por el lenguaje verbal, la ausencia de palabras no le impidió comunicarse con sus semejantes, discutir o intercambiar informaciones. En un principio, no podía expresar más que gestos, para después conseguir emitir sonidos que acompañasen a esos gestos. La comunicación verbal de esos primeros tiempos no se ocupaba de las intenciones, pero los gestos hablaban por sí mismos.

En la actualidad, el estudio de los gestos demuestra que el movimiento de nuestro cuerpo sigue formando parte integral de nuestra vida cotidiana. No es necesario ir a bailar o a practicar un deporte para ponerlo en movimiento: nuestro lenguaje corporal actúa como una rosa que libera continuamente un perfume de pensamientos o su propio discurso. Cada gesto es, pues, una señal que indica la fase real en la que está sumergida nuestra conciencia o nuestra inconsciencia, un estado que mantiene una armonía perfecta con nuestro estado de ánimo.

Desde el momento en que nos despertamos, nuestro lenguaje no verbal puede resultar muy elocuente. Por otra parte, es gracias a un ritual de gestos espontáneos cómo nuestro cónyuge o compañero puede adivinar de qué humor estamos. Los gestos que rodean todas nuestras relaciones están tan integrados en nosotros como nuestro reloj de pulsera, y tienen también la regularidad de sus agujas. Nuestra actitud queda desvelada gracias a ellos, ya que reflejan verdaderamente quiénes somos. Lo mismo sucede en el trabajo: nuestra manera de actuar está explicando a nuestros compañeros cuál es nuestra actitud y nuestra disposición a comunicar de manera abierta o no. Todos nuestros gestos *accidentales* son de una franqueza asombrosa y no pueden mentir ante nadie que sepa interpretarlos. Tanto si se está en presencia de una sensación de alegría como de frustración, de confianza o de desconfianza, no hay manifestación alguna que escape a la traducción corporal. Descubrir y saber interpretar este lenguaje humano universal equivale a desnudar a un individuo para conocer su verdad oculta.

A menos que se padezca ciertas enfermedades físicas, no hay gesto alguno que sea fruto del azar. De hecho, los gestos testimonian pulsiones, emociones y sentimientos, y acompañan a la palabra como una sombra reveladora. Los involuntarios son proyectados de manera inconsciente por delante del proceso de comunicación verbal y revelan las verdaderas intenciones de una persona, sean cuales fueren las palabras elegidas para expresarlas.

Los investigadores han descubierto que la totalidad de nuestros gestos sirven directamente para mostrar nuestros sentimientos, aunque el fenómeno de la comunicación no verbal siga siendo un tema muy complejo. Todo movimiento de nuestro cuerpo proyecta un mensaje al mundo exterior y desempeña un papel determinante en nuestra capacidad de comunicar. En consecuencia, un gesto traduce de inmediato nuestro estado de ánimo y constituye un espejo de nuestras palabras o, al contrario, las traiciona a nuestras espaldas. A causa de los múltiples factores que concurren, el tiempo de reacción verbal es tan largo que los gestos rodean nuestra conciencia, que no dispone del tiempo ni de los medios para impedir que éstos se produzcan.

En la medida en la que los intercambios verbales puedan tornarse tan embrollados que el mensaje se traduzca mal o resulte totalmente incomprensible, invertir en la observación de este raudal de gestos con la misma intensidad que lo hacemos en escuchar las palabras nos resultará muy provechoso: aumentará nuestra capacidad de percibir los verdaderos mensajes subyacentes en ellas. Y los beneficios ligados a esta observación no serán pocos: nos permitirá seguir una conversación con sabiduría o terminarla con elocuencia, dependiendo del caso.

A fin de juzgar adecuadamente las señales corporales emitidas por los demás, también es necesario comprender la manera en que nuestras propias señales pueden precipitar las reacciones de nuestros interlocutores; con mucha frecuencia reaccionamos o respondemos instintivamente ante afirmaciones realizadas por ellos. Dichas afirmaciones pueden llevarnos a interactuar, y lo mismo sucede con las señales corporales.

En las páginas siguientes descubriremos lo importante que es no dejarse nunca confundir por una reacción subconsciente y evitar todo juicio de valor demasiado precipitado.

Un lenguaje auténtico

La comunicación no verbal es una forma de interacción silenciosa, espontánea, sincera y sin rodeos. Ilustra la verdad de las palabras no pronunciadas, al ser todos nuestros gestos un reflejo instintivo de nuestras reacciones, que componen nuestra actitud mediante el envío de mensajes corporales continuos.

De esta manera, nuestra envoltura carnal desvela con transparencia nuestras verdaderas pulsiones, emociones y sentimientos. Resulta que varios de nuestros gestos constituyen una forma de declaración silenciosa que tiene por objeto dar a conocer nuestras verdaderas intenciones a través de nuestras actitudes.

El lenguaje corporal constituye una demostración mediante la gestualidad o el movimiento, lo que envía una señal explícita o sutil a nuestro entorno. Por ejemplo, quedan al descubierto los gestos de impaciencia o de inquietud, como en el caso del hombre que espera que su cónyuge dé a luz en el hospital: mira continuamente su reloj y no deja de andar arriba y abajo del pasillo, a la vez que suspira continuamente, todas ellas señales de ansiedad e impaciencia.

Un gesto se convierte en mensaje si es visto y si comunica una información específica, como sería hacer un signo señalando hacia uno mismo con la mano para que alguien se acerque, o mover la mano de izquierda a derecha para decir hola o adiós.

Sabiendo que el ser humano cuenta con la facultad de escuchar con facilidad de 650 a 700 palabras por minuto –demostrado por un estudio– y de pronunciar una media de 150 o 160 por minuto, resulta sorprendente que la mayoría de los mensajes corporales no sean asimilados; el oyente medio utiliza efectivamente más de tres cuartas partes de su tiempo en escuchar, evaluar, aceptar o rechazar lo que se le dice. Por ello se sugiere que a fin de maximizar la capacidad de escucha de nuestro interlocutor y evitar que se desconecte totalmente, hay que permanecer muy atento a los mensajes no verbales de desinterés, como mirarse el reloj o frotarse los ojos. Estos gestos sencillos demuestran que hay una falta de intercambio o que se está utilizando un registro poco emocional.

Para convertirnos en hábiles comunicadores, es necesario aprender a reunir el máximo de observaciones relacionadas con esas señales, para poder extraer conclusiones y ajustar nuestro discurso dependiendo de las necesidades. Con el mismo objeto sería necesario realizar un verdadero aprendizaje del lenguaje corporal, para que nuestros gestos y nuestro discurso mantengan la armonía. De esta manera se puede lograr ser convincente frente a cualquier auditorio.

Ante cualquier dificultad para comprender el discurso oral, resulta muy útil captar las verdaderas actitudes y las emociones que una persona nos transmite graciosa y silenciosamente mediante sus gestos. A fin de captar mejor el contenido de una comunicación oral, debemos buscar los gestos que reflejan la misma actitud.

Descomponer los gestos que acompañan a lo que se dice permite establecer la relación de veracidad o mentira que existe entre ambos niveles. Este método de análisis posibilita la verificación de la integridad del interlocutor y la identificación del verdadero mensaje. Nunca hay que olvidar que los gestos son los símbolos más espontáneos y elocuentes del proceso de comunicación.

Varios científicos, como Charles Darwin, el doctor Edward Hess o Allen Pease, han establecido que el lenguaje corporal constituye el 87% del conjunto de una comunicación. Este dato deja bastante claro que queda muy poco espacio para la palabra y la entonación. El reparto de los componentes de la comunicación se descompone de la siguiente manera: 7% de entonación, 6% de palabras y 87% de gestos. Pocos de nosotros somos conscientes de que nuestros gestos son gobernados por leyes biológicas muy concretas, algo que también ocurre en el caso de las demás especies animales.

De estas leyes que gobiernan la gestualidad, el ser humano extrae unas 700 000 señales físicas distintas, de acuerdo con el investigador y antropólogo Edward Hall. Sólo el rostro tiene la capacidad de componer 250 000 expresiones distintas. La mano, por ejemplo, puede comunicar 5000 gestos diferentes. En el libro del profesor Hall abundan los ejemplos que ilustran la variedad de estos gestos, pero resulta imposible, claro está, explicarlos e interpretarlos por completo. Por esa razón sólo trataremos aquellos de los que nos servimos para crear nuestros mensajes de forma cotidiana y normal, y que son los que más interés tendrían para nosotros. También resulta impensable profundizar en las técnicas gestuales de seducción en un único libro, pues los ejemplos, como el hombre que se ordena la ropa a fin de agradar a una mujer o el individuo que camina como un gallo cuyo talento se encuentra en las pantorrillas, son abundantísimos.

Las personas dotadas –que son muchas– para reconocer y comprender con rapidez los gestos de quienes las rodean, es decir, aquellas personas que poseen una intuición en este sentido, son gestualistas naturales. La madre es una gestualista de su hijito, con el que todavía no puede tener un intercambio verbal aunque todo el mundo sabe que puede reconocer de inmediato sus necesidades a través de sus llantos o de algunos de sus gestos. El padre también lo es, pues, a través de la observación, puede reconocer rápidamente la buena disposición deportiva o el talento artístico de uno de los miembros de su familia.

Los estudios sobre lenguaje corporal demuestran que la mujer cuenta con un repertorio gestual natural más vasto que el del hombre, y que posee una gran ventaja sobre éste al respecto gracias a su intuición, más intensa y potente. En mi propio caso he de admitir, sin dudarlo ni un instante, que la intuición de mi cónyuge sobrepasa ampliamente mis facultades. A causa de una capacidad más restringida, el hombre debe observar primero antes de extraer conclusiones. Son varios los estudios que han llegado a constatarlo y que afirman que sacar conclusiones de una sorprendente exactitud es una capacidad mucho más instintiva en la mujer que en el hombre.

Comprender los gestos

El lenguaje corporal es un amplio campo de mensajes silenciosos tan en bruto como un diamante sin pulir. El lenguaje de las palabras, con su intercambio de informaciones, pule dicho diamante, y le da una forma y una apariencia de falsa perfección. Las palabras ocultan efectivamente la verdadera piedra en bruto. Cada uno de nuestros gestos completa el intercambio verbal, y lo subraya y enfatiza. Los gestos son un medio elemental para que el cuerpo exprese en silencio todas sus necesidades, deseos o temores.

Para saber leerlos e interpretarlos, debemos hacer como alguien que mira los escaparates de las tiendas: si percibimos y prestamos atención a los individuos actuando en situaciones reales, nuestro entorno no podrá ocultarnos nada.

El arte de descodificar los gestos y la comprensión de su significado nos exige un aprendizaje: debemos aprender a observar sin descanso. No sólo hay que estar pendiente de los movimientos del cuerpo, sino que también hay que aprender a reconocer su significado. Lo más complejo, en este laborioso aprendizaje, es ser capaz de interpretar correcta y precisamente los mensajes que filtra la gestualidad. Y como espectadores, siempre debemos intentar comprobar si existe compatibilidad entre los gestos y la palabra.

Una de las nociones fundamentales que hay que retener para poder traducir eficazmente el significado de los gestos es que **nunca hay que separar las acciones de su contexto.** Es necesario saber reconocer el carácter del individuo y efectuar una verificación de todos los instantes. Por ello la retroalimentación (*feedback*) desempeña un importante papel en la lectura del lenguaje no verbal.

Si no se practica esta regla fundamental de comunicación, es fácil dejarse llevar por falsos juicios de valor sobre los gestos de los demás, o lo que todavía sería peor, destruir una relación sana a consecuencia de una mala interpretación gestual.

De todos modos, es muy difícil interpretar un solo gesto aislado, ya que es posible que carezca de todo significado particular, como el hecho de toser, estirar los brazos o tener las piernas cruzadas. El valor de un gesto sólo resulta aparente cuando se considera el proceso de comunicación en su conjunto, es decir, el contexto, las palabras, la entonación y los demás gestos, pues cada uno de esos elementos es indisociable del resto.

Aunque las actitudes pueden revelarse a través de las palabras, para comunicar bien, una persona debe saber ensamblar y combinar éstas a fin de conformar una armonía que tenga sentido. Y sólo se puede acceder a una comprensión mejor de las actitudes expresadas gracias a nuestra capacidad de verificar la concordancia de ambos. Identificar la coherencia o la compatibilidad de gestos y palabras, examinar su disposición, nos obliga a verificar nuestras hipótesis y a analizar antes de extraer una conclusión... que nos pudiera parecer justa.

Muchos estudios corroboran mis observaciones personales: los gestos resultan ser más justos, precisos y honestos que las palabras. La concordancia de las palabras con los gestos tiene lugar de manera perfecta. Además de verificar la fidelidad de los gestos respecto de las palabras, en el universo del lenguaje corporal también debe tener lugar una verificación inversa: la palabra expresada oralmente debe apoyar al gesto.

Si las palabras y los gestos forman un conjunto homogéneo de significado, como la puesta de sol y sus asombrosos colores, la expresión verbal se torna natural y fidedigna. Por otra parte, si las primeras no apoyan de manera perfecta a los segundos, como en el caso de una persona sobreexcitada, sin aliento y gesticulando con los brazos como un molino, pero que dice estar perfectamente tranquila y controlando la situación, puede resultar difícil dejarse convencer. Ante estos gestos de pánico gestual debemos hacer preguntas a esa persona a fin de confirmar su sinceridad.

No obstante, no hace falta utilizar palabras para que una simple reacción no verbal por nuestra parte llegue a constituir un aviso que obtendrá el resultado deseado. En el momento mismo en que tiene lugar esta observación, sería de desear que cambiásemos nuestra estrategia de intervención a fin de proseguir el diálogo. Una situación así se presenta, entre otras ocasiones, cuando un individuo manifiesta un cierto nivel de frustración mostrándonos su puño cerrado o cuando una persona evita lanzarnos un ataque verbal injurioso mordiéndose el labio inferior.

Por otra parte, admitimos que no siempre es fácil evaluar los gestos con objetividad, pero entrenarnos a diario nos irá haciendo por fuerza más duchos en la materia. El arte de descodificar un mensaje no verbal requiere de un aprendizaje que a veces puede ser tan largo como tejer un pañuelo de 8000 metros, para emplear una imagen, o tan arduo como llegar a dominar una lengua extranjera.

Esta formación cotidiana tan necesaria para acabar sabiendo leer mensajes gestuales demostrará ser muy provechosa si se aplica un método que se resume en tres grandes principios apuntados por los grandes maestros y especialistas en la materia:

Principio n.º 1: observación
Principio n.º 2: observación
Principio n.º 3: observación

Los movimientos

Nuestra manera de expresarnos utiliza una sucesión de movimientos físicos que incluye postura y movimientos gestuales y que están presentes en los seres humanos desde el principio de los tiempos. Los estudios realizados sobre la cuestión no muestran cómo los aprendimos, pero los investigadores están convencidos de que ha tenido lugar una evolución en el proceso de comunicación instintiva que ha ido de la mano con la evolución del género humano. No obstante, la mayoría de los movimientos de nuestro cuerpo tienen un carácter permanente y son un punto de referencia acerca del comportamiento del común de los mortales.

Los especialistas han establecido cuatro tipos distintos de movimientos que utilizaríamos para expresarnos: innatos, descubiertos, adquiridos y aprendidos.

Los movimientos innatos

Este tipo de movimientos no se han aprendido, al contrario que una lección escolar. Según una primera teoría, su origen radicaría en la herencia genética. Por ello todo individuo contaría con habilidades naturales a su disposición que le permitirían extraer lecciones de su propio entorno y acumular gestos. Según otra teoría, el ser humano poseería un rico bagaje de datos innatos, como los animales. Al igual que cualquier otra especie animal, por ejemplo, el ser humano busca de inmediato el seno materno sin haber pasado por ningún aprendizaje para hacerlo.

Otro fenómeno de acción innata observado en el nacimiento: cuando se toca la planta del pie del recién nacido, éste flexiona enseguida y de manera natural los deditos, igual que haría un monito con sus patas cuando desea trepar a una rama.

La sede de un movimiento innato se encuentra en una parte del cerebro que está programada como un ordenador.

Los movimientos se ubican en archivos cerebrales vinculados a distintas reacciones y a reflejos concretos. Estos automatismos están relacionados con estímulos de acciones y se desencadenan en cuanto se halla presente alguno de esos estímulos, sin que deba existir necesariamente una experiencia previa. Algunos ejemplos de este misterio gestual: componer una sonrisa que descubre nuestro contento, llorar cuando existe algún contratiempo o abrir enormemente los ojos ante una novedad o una sorpresa; el bebé que mueve las piernecitas para manifestar su alegría o excitación, o que se chupa el pulgar para reconfortarse.

Para que podamos considerar que un acto es de tipo innato, es necesario reconocer que no existe ningún antecedente que lo relacione, es decir, que no ha sido adquirido mediante aprendizaje.

Los movimientos descubiertos

Por su parte, los movimientos que detectamos por nosotros mismos y que reproducimos inconscientemente pertenecen al tipo de los descubiertos. Son aquellos que asimilamos a medida que crecemos y que aprendemos a controlar nuestro cuerpo y movimientos. No somos conscientes de que los integramos y no tenemos noción alguna acerca de cómo ejecutarlos.

A diferencia del anterior, este tipo de movimientos es específico del ser humano porque su cuerpo posee una herencia cultural. Resumiendo, podríamos decir que algunas de nuestras acciones podrían ser reproducidas o

imitadas por nuestros semejantes, como la forma de apoyar las manos en las caderas o de fruncir el ceño durante un enfrentamiento. Otros tipos de movimientos descubiertos provienen de nuestros padres, como pudiera ser su forma de sonreír o de caminar.

Los movimientos adquiridos

Del mismo modo que los innatos o descubiertos, los movimientos adquiridos están modelados por nuestros semejantes y son estimulados de manera inconsciente e irracional. Ejecutamos varios de nuestros gestos por primera vez sólo porque los hemos observado en otros. Todos somos un poco imitadores e imitados, y por ello resulta prácticamente imposible crecer en una comunidad sin desarrollar nuestras propias réplicas y nuestros estilos gestuales. Nuestra manera de sonreír, de estar de pie, de caminar o de hacer muecas no es a veces más que la copia de lo que tiene lugar en nuestro entorno.

Este tipo de gestualidad bebe de una fuente más amplia que los dos anteriores: el grupo, la cultura y la nación a los que pertenecemos. Por otra parte, hay que señalar que cuanto más elevado es el nivel jerárquico de un grupo, más fielmente se reproducen las acciones por parte de sus miembros. Tenemos un ejemplo bien elocuente al observar a los miembros de la realeza británica, que caminan con las manos unidas por detrás de la espalda cuando las personas se inclinan ante ellos a su paso. Otra acción adquirida, en esta ocasión entre los franceses, es besar la yema de los cinco dedos unidos para decir ¡exquisito! Finalizaremos mencionando un gesto típicamente norteamericano: levantar el dedo corazón de una mano para decirle a alguien que se vaya a paseo.

Los movimientos aprendidos

Este tipo de movimientos son aquellos que se nos han enseñado. Los gestos que pertenecen a esta categoría vienen determinados por un análisis o una observación personal, el sistema educativo o el grupo de actividades del que formamos parte. A él pertenecen, por ejemplo, los gestos repetidos en una actividad deportiva específica o en algunos ejercicios físicos. Ciertos movimientos relacionados con esta categoría son muy elementales, como guiñar el ojo, aplaudir, hacer el signo de la cruz, realizar el gesto de saludo propio del movimiento de exploradores o despedirse con la mano a través de una ventana; otros resultan más complejos, como realizar un triple salto en patinaje artístico, bailar *ballet* o golpear una pelota de golf.

Las acciones gestuales

En el marco de la comunicación, una acción es un movimiento corporal que tiene por objeto enviar una señal visual al interlocutor. A veces, el gesto puede ser voluntario y consciente y, en otras ocasiones, perfectamente involuntario e inconsciente. El mensaje gestual es un acto de comunicación natural, tanto si se emite de manera deliberada como si se manifiesta por accidente.

Acción mecánica

Por estas razones, las acciones gestuales se dividen en dos categorías, ambas voluntarias o involuntarias: la acción mecánica y la accidental. Un ejemplo: la persona que hace una señal con la mano para decir buenos días lleva a cabo un gesto consciente y voluntario que pertenece a la categoría de acción mecánica. El individuo que se inclina hacia delante reposando las manos en las rodillas para recuperar el aliento está realizando un gesto mecánico e involuntario. Por el contrario, el hecho de poner la mano mecánicamente por delante de la boca cuando se habla con la boca llena es totalmente voluntario.

Siguiendo con el ejemplo del individuo que ha corrido mucho y que intenta recuperar el aliento, las acciones mecánicas suelen ser de naturaleza necesaria porque el cuerpo nos dicta en esos momentos ciertos movimientos, una postura o un gesto. Por ejemplo: cuando la sangre necesita más oxígeno, separamos los brazos y abrimos la boca para inspirar todo el aire posible. Este

Acción accidental

ritual, que es bostezar y que repetimos todos un millón de veces, significa simplemente que el cuerpo exige cierta postura de apertura para facilitar la ejecución de ese proceso. También hay veces en que una persona se sienta apoyándose en una de sus piernas cruzadas. Al cabo de un cierto tiempo, el cuerpo requiere de un reposicionamiento de las piernas para facilitar la circulación de la sangre. Aunque la persona sienta hinchazón y hormigueo en la pierna, ¡eso no significa que su postura en la silla conlleve un sutil mensaje no verbal! La acción engendrada de este modo es más bien mecánica. Por otra parte, este tipo de acción se caracteriza por su razón de ser: una necesidad de comodidad y de esparcimiento del cuerpo. Es también el caso del organismo que suplica que se le seque la frente cuando hace calor o que se lo cubra cuando hace frío.

Las acciones accidentales, repletas de mensajes, están constituidas por las señales que una persona nos transmite. Hay que fijarse precisamente en estos gestos involuntarios llenos de mensajes continuos para poder extraer una conclusión justa. Un hecho siempre queda, y aunque la persona permanece silenciosa, los miembros de su cuerpo se expresarán con más fuerza que un concierto de *rock* (o *punk-hip-hop-country-electro-funk*). Veremos que su rostro, ojos, manos y pies nos hablan con gran claridad acerca de su estado de ánimo.

La atención visual y la observación sostenida son muy importantes, pues en ocasiones son el único medio con que contamos para captar los mensajes silenciosos que nos permitirán comprender las verdaderas intenciones de una persona.

Al igual que en el caso de los movimientos, también existen cuatro categorías de gestos.

Los gestos imprevistos

Los gestos imprevistos o involuntarios, nunca planificados ni premeditados, son los que revelan más informaciones, pues son desencadenados por pulsiones o emociones espontáneas cargadas de significados y de mensajes verdaderos. Ni que decir tiene que a causa de su naturaleza misma, la conciencia y la intención no participan en su emisión. Teniendo en cuenta su espontaneidad, los gestos imprevistos evocan de forma muy precisa nuestro estado emocional, nuestra manera de ser, de pensar o de reaccionar corporalmente.

Toda esta gestualidad puede informarnos acerca de emociones como el tedio, como nos demuestra el estudiante que apoya la cabeza en las manos y los codos en el escritorio, y también la duda o la desconfianza, como en el ejemplo de alguien que escucha a su interlocutor frotándose el mentón con el pulgar y el índice.

Los gestos expresivos

Ésta es una categoría que en diversas situaciones puede confundirse con las otras. También forma parte de nuestra personalidad, pues diversas expresiones gestuales están integradas en los automatismos conductistas que escapan a la detección de nuestra conciencia, como una gota de agua resbalando entre nuestros dedos. Y también está integrada en nuestro rostro, ya que la mayoría de nuestros mensajes expresivos revelan parte de los 250 000 movimientos posibles de la cara. Eso por no hablar de las manos, que también ocupan un lugar importante en esta expresiva gestualidad, al comunicar mensajes animados o agresivos, así como los ojos, con sus cambios de humor. Para ilustrarlo podríamos decir que se revela un gesto expresivo cuando una persona se sujeta el pecho aunque se ría a carcajadas, o cuando alguien demuestra su frustración

poniendo una mano sobre la cadera y agitando el índice de su otra mano frente al rostro de su interlocutor para intimidarlo.

Se ha demostrado que los expresivos, al igual que todos los gestos, tienen la función precisa de señalar un mensaje muy claro y visible, como la tensión, la alegría o el alivio. Para hacernos eco de esa última sensación, observemos el gran alivio que representa una espiración exagerada, que deja percibir un abandono de uno mismo ante el descubrimiento de una solución.

Los gestos técnicos

Este tercer tipo de gestos fue inventado de cara a un uso limitado en una esfera de actividad concreta. Puede observarse

en todos los deportes, como en el caso de los árbitros, que realizan gestos para expresar una decisión o una infracción. En las obras y los aeropuertos, entre otros lugares, también cuentan con gestos técnicos para hacer que dé marcha atrás un camión o para conducir un avión hacia la pista de despegue, por ejemplo.

Los gestos mímicos

Finalmente, los mímicos también tienen su lugar, pero este género de gestos comunica menos mensajes auténticos que cualquier otro tipo, pues la intención que subyace no es más que la imitación, la copia de una acción, los gestos de otra persona o los atributos de un objeto. Los niños demuestran tener un verdadero talento en este campo, reflejando perfectamente los gestos de su entorno, como los de sus padres, amigos o parientes cercanos.

Un ejemplo de gesto mímico que va más allá del mundo infantil es la demostración de cólera que se hace en España, utilizando dos dedos levantados que representan la embestida de un toro con los cuernos por delante. Mover la mano de izquierda a derecha para despedirse de alguien es otro ejemplo de mímica.

Algunos gestos mímicos son más célebres que otros: el abogado belga Victor de Lavelyne inventó –durante una campaña de propaganda antinazi– el 14 de enero de 1941, el signo de la victoria, que pasaría a la posteridad. Winston Churchill se sintió de inmediato seducido por dicho gesto, que ha acabado por representar, tras la guerra, la idea de victoria a todos los niveles, tanto militar como política o deportiva.

Aunque la mímica no transmite muchos mensajes verdaderos acerca de nuestro estado de ánimo, hay que reconocer que algunas personas cuentan con un talento formidable en este arte, como Marcel Marceau, que llegó a hacer palpable el ascenso de una pared tras la que se hallaba atrapado sin contar con ningún objeto en la mano.

Adquirir las capacidades

Todos comunicamos informaciones sobre nosotros mismos a diversos niveles. No obstante, la comunicación funciona más allá de la lengua hablada o escrita: nuestro cuerpo dice muchas más cosas de las que nos sentimos autorizados a decir, pues muy a menudo respondemos corporalmente a mensajes verbales y también al lenguaje corporal de los demás. Tanto si se quiere como si no, nuestros pensamientos suelen hallar la manera de expresarse a través de una traducción gestual que va desde una simple expresión del rostro hasta la postura de todo el cuerpo.

Cuando nos toca hablar, a veces nuestro interlocutor no comprende nada de lo que decimos, pero no es a causa de la pobreza de nuestro vocabulario, ni por falta de lógica o claridad por nuestra parte. Lo que ocurre es que la recepción de un discurso o de un intercambio de información también depende de los gestos que acompañan nuestras palabras.

Evitar esas situaciones de incomprensión pasa por el dominio de la lectura de los gestos y de su interpretación, que dará lugar a un juicio de valor iluminador y a la comprensión de las verdaderas actitudes ocultas tras los mensajes mudos. Al entrever el poder que confiere el dominio de la lectura y de la interpretación de los gestos, se estará dispuesto a escuchar y a observar. ¡Imagina tu interés cuando captes su amplitud por completo!

En los capítulos siguientes aprenderás a diferenciar y traducir de manera lógica los múltiples gestos existentes y a reconocer por ti mismo, desafiando lo que dicen las palabras, los comportamientos de aviso, de confirmación, de mentira o de aceptación. Todo ello es posible en razón de los gestos curiosamente similares de los seres humanos, aunque sean diferentes sus relaciones emocionales, sus costumbres o incluso sus actitudes.

Adquirido al hilo de estas páginas, este dominio de la lectura de los mensajes silenciosos, que son más verídicos que cualquier lenguaje verbal, te aportará las capacidades necesarias para poder comprobar la honradez de las personas. Pero es preciso insistir en que si bien estudiar y saber reconocer los gestos es una tarea relativamente sencilla en sí misma, descifrarlos y establecer su significado real resulta bastante más difícil. La lectura de los gestos es una ciencia que no es exacta ni incontestable, pero que suministra tal cantidad de pistas asombrosamente claras y convincentes que te será muy provechoso explorar en profundidad el mundo de los gestos, es decir, aumentar tu nivel de curiosidad al respecto, así como tu capacidad de escucha y de observación de las mínimas manifestaciones gestuales.

Cuando dominamos el maravilloso mundo de los gestos aprendemos mucho sobre las personas, pero sobre todo, ello nos permite evitar cierto escollo: la tentación de extraer conclusiones precipitadas acerca de la personalidad y las costumbres de nuestros interlocutores a partir únicamente de sus palabras.

Por desgracia, muy a menudo se forma uno una opinión sobre la gente simplemente a partir de una expresión del rostro, de la manera de andar o de un apretón de manos. Resulta muy fácil clasificar rápidamente un gesto pegándole una etiqueta como si fuese una conserva en la estantería. Debemos evitar emitir veredictos demasiado precipitados y aprender a apreciar, ante todo, el conjunto del proceso de comunicación.

Para realizar una lectura precisa de los gestos siempre hay que tomar en consideración todos los elementos que conforman el lenguaje gestual. Hay que evitar considerar un gesto aisladamente e interpretarlo como tal. Es imperativo evaluar los múltiples gestos sucesivos que tienen lugar en el contexto del momento. Y no sólo eso, sino que también es necesario tener en cuenta el temperamento de la persona en esa circunstancia.

Por ejemplo, alguien que se pone la mano delante de la boca mientras habla por lo general está demostrando incertidumbre respecto a lo que dice y, muy posiblemente, una deformación de la verdad, pero antes de sacar conclusiones, hay que intentar saber si ese comportamiento es normal en él y verificar la hipótesis del dolor de muelas. También es posible que esa persona intente a través de ese gesto comprobar si tiene mal aliento para saber si debe evitarte esa desagradable situación recurriendo a un chicle. Otra situación corriente que requiere un análisis: una persona que baja la cabeza hacia delante hasta que su mentón entra en contacto con el cuello, a la vez que proyecta una mirada por encima de las gafas, indica que está lejos

de tener confianza en tus propósitos y por ello manifiesta claramente que su juicio de valor es irrevocable. Pero también puede tratarse de que simplemente intente relajar los músculos a fin de aliviar un dolor de cuello. A través de estos dos ejemplos puede comprobarse que existen múltiples situaciones y expresiones que son terreno abonado para la observación de la compatibilidad entre palabras y gestos.

La comprensión del lenguaje corporal nos hace entender que los gestos son más transparentes que las palabras. Pero debemos reunirlos para analizarlos y extraer un significado que sea justo y no sólo resultado de un juicio de valor demasiado rápido.

Al practicar el estudio de los gestos, aumentamos nuestro nivel de escucha, lo que resulta ser una mina de información suplementaria. No obstante, escuchar no es una capacidad natural del ser humano. Lo que sí lo es es comprender los sonidos a través del oído. Así pues, saber escuchar es tomar la decisión fundamental de buscar una mejor comprensión de los mensajes de los demás, y la mejora de dichos intercambios desde el respeto mutuo y la dignidad.

No cediendo a una interpretación sumaria de los gestos percibidos obtendremos la capacidad de poder confirmar su concordancia con las palabras de la persona.

2ª PARTE

  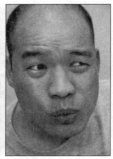

Las cosas no se dicen.
La palabra es la ola que se ve por encima,
pero lo que vale es lo que discurre en las profundidades.

Marcel Pagnol

Tus gestos son tus mensajeros

Cada vez que presento un seminario o que ofrezco una conferencia descubro una multitud de informaciones gestuales circulando libremente entre los participantes o en el auditorio. En el momento en que veo un gesto muy claro que denota abiertamente un mensaje mudo, sólo tengo que realizar su lectura teniendo en cuenta su contexto e intentar descodificar el sentido oculto y a veces inconsciente.

Cuando percibo un gesto muy evidente en su contexto, en primer lugar le hago al participante en cuestión una pregunta muy puntual que se apoya siempre en las últimas palabras que he pronunciado y en la observación del gesto preciso de mi interlocutor. Tras la confirmación y la aclaración del gesto con este último, comento el gesto percibido y aporto rápidamente los ajustes necesarios a mi discurso.

Algunas actitudes o ciertos comportamientos son fácilmente identificables: por ejemplo, el participante que apoya ambos codos en la mesa y que, a continuación, levanta los antebrazos haciendo girar rápidamente el lápiz entre los dedos hacia delante me está diciendo claramente, mediante este gesto

irrevocable y esa mímica precisa, que el tema que estoy abordando no le interesa lo más mínimo o que desea que acelere el ritmo y pase a una cuestión más interesante. Cuanto más le moleste o deje indiferente el tema, más aumentará la cadencia del giro del lápiz para advertirme que está deseando que pase a tratar otro asunto. Este gesto inconsciente simboliza impaciencia frente a la información del momento, y la persona que lo emite está mostrando su deseo de hacer que el tiempo transcurra rápidamente.

Al percibir este gesto tan revelador, detengo mi alocución y abordo al participante con una frase tipo: «Ya sé que conoce usted muy bien este tema, pero si no le importa esperar unos pocos minutos, a continuación pasaremos a tratar otro».

A menudo entro en relación con la persona en cuestión diciendo: «Creo que puede usted ayudarnos en este tema y compartir con nosotros su propia opinión». Normalmente, y sin dudarlo, el individuo toma la palabra y expone su punto de vista. Pero a veces sucede que se queda mudo y me interroga con la mirada, preguntándose cómo sabía yo que él conocía la materia, o incluso puede que me pregunte directamente: «¿Cómo sabía usted que ese tema no me interesaba especialmente?». Y yo contesto sencillamente: «¡Porque no deja de darle vueltas al lápiz!».

Hay otros gestos que dicen mucho y que se expresan en nuestro entorno familiar. Todos recordamos los característicos de nuestros padres, de nuestros tíos y tías, sin ni siquiera intentar analizarlos o descifrarlos. Aunque no los analicemos y no los descifremos de manera consciente, eso no nos impide reaccionar con facilidad a su lenguaje corporal y a su comportamiento explícito. Así pues, no sólo reaccionamos frente a las palabras, sino también frente a los actos que las apoyan, y muchos de ellos son de fácil lectura. ¿No es verdad que el ser humano reacciona ante quien cierra de un portazo la puerta tras una disputa o ante quien se lleva la mano al corazón en señal de lealtad? ¿No es cierto que tiene miedo de quien ve llegar con una mano levantada en señal de autoridad y que pregunta: «Puedes volver a repetir eso que le has dicho a mi colega»?

Nuestro cuerpo no deja de mostrar un amplio abanico de mensajes mudos. Es algo que podemos constatar sin dificultad en la persona que da golpecitos con el pie, mostrando su impaciencia, en la que nos mira fijamente a los ojos para manifestar su superioridad o incluso en la que nos da una palmadita en la espalda para manifestarnos su apoyo, su satisfacción o su aliento.

De todos modos, extraer el verdadero sentido de algunos gestos da a veces lugar a tantas interpretaciones como opiniones y personas existen. Pero hay un hecho innegable, que es necesario recordar: todo gesto inconsciente proporciona total sentido a los pensamientos silenciosos. Y de todos los gestos existentes, los de la expresión del rostro son, con mucho, los más numerosos. Los resultados de estudios realizados por los investigadores Christopher Brannigan y David Humphries indican que los rasgos del rostro muestran con más claridad nuestros pensamientos más profundos que cualquier otra parte del cuerpo.

En particular, el rostro cuenta con una capacidad asombrosa de cambiar de expresión en un santiamén. Es capaz de dejar filtrar una sonrisa amorosa, y de pasar instantáneamente y con la mayor de las facilidades a una expresión asesina. Los mismos investigadores han constatado que el ser humano despliega nueve tipos distintos de sonrisas y que los ojos son la herramienta por excelencia para emitir mensajes.

Por lo general, la palabra sólo nos proporciona una idea aproximada de una situación, mientras que los gestos testimonian con mayor fidelidad su amplitud y riqueza. Eso es algo que puede ilustrarse preguntándonos qué nos impresiona y nos estremece más con motivo de un robo a mano armada, el ladrón que dice: «¡No te muevas!», o el arma que nos apunta. Lo que está claro es que las expresiones de las personas nos están enviando constantemente un mensaje muy preciso acerca de su estado de ánimo. Es el caso de la expresión del niño que abre un regalo con los ojos muy abiertos y con la boca en forma de O, algo que transmite mucha más información que un simple ¡muchas gracias! Como dice la expresión, una imagen vale más que mil palabras.

Aquel a quien cuentas tu secreto
se convierte en dueño de tu libertad
La Rochefoucauld

El nacimiento de los gestos

El cuerpo se mueve continuamente: solicita, invita, rechaza, se abre y se cierra sin cesar. Está en movimiento continuo, nos ofrece constantemente una indicación que se une a las palabras, y nos desvela todos sus secretos y lo implícito en ellos. Así pues, cuando avanzas hacia alguien y sus brazos se separan rápidamente con una sonrisa tierna en el rostro, comprendes que todo el conjunto expresa una actitud de apertura; por el contrario, cuando esos mismos brazos permanecen cruzados y van acompañados de una mirada fría, interpretas que te hallas frente a una barrera tan formidable como la de la presa de un embalse.

Ante este movimiento perpetuo del cuerpo resulta difícil realizar una lectura minuciosa del lenguaje corporal sin llevar a cabo una observación continua. Y como asistimos a una oleada continua de movimientos en un espacio de tiempo dado, hay que evitar extraer conclusiones prematuras acerca de su significado.

En este flujo incesante de movimientos intervienen las sensaciones. Cada vez que nos inunda una sensación, los músculos reaccionan de forma autónoma y espontánea. Contamos con maneras específicas y distintas de reaccionar a las diversas situaciones que se nos presentan en nuestro entorno. Y ante cada una de ellas disponemos de un cierto grado de reacción que despierta en nosotros uno de nuestros cinco sentidos, sea el olfato, el gusto, el oído, el tacto o la vista.

Nuestra manera de estar se organiza de forma inconsciente a partir de nuestro estado de ánimo. Nuestros gestos concuerdan perfecta y armoniosamente con nuestra capacidad de accionar o reaccionar ante una situación vinculada con nuestro estado psicológico. La mente reacciona como una esponja, absorbiendo todas las sensaciones sentidas por el ser humano, lo que hace que los músculos del cuerpo respondan al contexto particular en el que se hallan, utilizando una u otra forma de acción o reacción. Así, comunica al cuerpo instintivamente lo que siente en tres niveles distintos: la **pulsión**, la **emoción** y el **sentimiento**.

Nuestra estructura emocional

En nuestras vidas, todos los incidentes implican una reacción cerebral que desencadena pulsiones. La mayor parte del tiempo, las situaciones vividas dejan pocas huellas en nuestra mente. En este caso, los efectos de una pulsión específica tienen muy corta duración en el cerebro y prácticamente desaparecen de la memoria.

No obstante, si una de ellas se ve reforzada por un apoyo espiritual, moral o intelectual, estaremos franqueando un escalón emocional. Es el nacimiento de una emoción. Ésta, por su parte, se refuerza gracias a su vigor y a su duración prolongada, a semejanza del agua que actúa sobre las raíces de una planta.

Igual que las pulsiones, las emociones pueden eclipsarse con facilidad con el tiempo o aumentar de intensidad. Las emociones reforzadas darán lugar a una mayor complicidad de los gestos con el último escalón emocional: los sentimientos. En el origen del sentimiento se halla una pulsión rápida que conlleva una emoción, la cual se abre camino hasta él. Este proceso estructural es el fundamento natural que permite que nuestra mente libere un gesto.

En el universo neurofisiológico, los gestos espontáneos mantienen una relación directa con esta estructuración cerebral de la esfera emocional. No tenemos más que mirar los ojos de un jugador compulsivo de *black-jack* cuando recibe un as de picas y obtiene veintiuno, o la sonrisa de una madre que reencuentra a su hijo en medio de una multitud, para asistir a una demostración de transparencia a su nivel más inmaculado.

Todos nuestros deseos y todas nuestras sensaciones se expresan en el marco de un acontecimiento, de un tiempo y de un contexto muy precisos. Aunque tenga en cuenta el acontecimiento y el contexto, lo que más interesará al observador del mundo gestual será la expresión del estado emocional que se transparentará silenciosamente a través del lenguaje corporal. En cuanto a los sentimientos, y en razón de un efecto de más larga duración, dejan sitio a los gestos, que resultan así más fáciles de interpretar con exactitud.

La pulsión

Existen tres velocidades de evolución de nuestras impresiones: pulsiones, emociones y sentimientos. Ante todo, podemos afirmar que las pulsiones, que constituyen la primera velocidad, experimentan un deseo extremo de producir un efecto gestual tan pronto como se viven en el interior de uno mismo. Tal y como puede comprobarse en la expresión instantánea de ciertos gestos, como un grito o una sonrisa en el recién nacido que desea ser alimentado, nuestras pulsiones se manifiestan a la velocidad del rayo.

Este fenómeno natural es irrefrenable, como en el caso de las que expresan intenciones del ser humano. Podríamos comparar nuestros deseos a una corriente eléctrica, y nuestras pulsiones a las bombillas que se iluminan a su paso. Todo ese flujo pulsional se manifiesta en el lenguaje no verbal, que muestra una reacción que se está produciendo en el interior de la persona.

Esta señal luminosa de la pulsión está presente en todos los seres humanos, pero el mecanismo que la desencadena es personal. El origen de nuestras pulsiones se encuentra en los productos de nuestros sentidos, como son las imágenes, los sonidos, los olores, los sabores y la sensibilidad del tacto, que transportan nuestras sensaciones como un rayo láser hacia su objetivo.

Según Iván Pavlov, psicólogo ruso galardonado con el Nobel en 1904, nuestro cerebro parece captar todas nuestras sensaciones inconscientes, es decir, nuestras pulsiones, emociones y sentimientos, como si fuesen peces en un retel. Suele olvidarse el origen de esos estados, mientras que sus efectos continúan produciéndose en nuestra vida, condicionando así nuestras percepciones y regulando nuestros modos de hacer y de reaccionar a nuestro entorno.

A menos que nos encontremos en estado comatoso o que carezcamos de constantes vitales, el cuerpo reacciona a los estímulos que lo rodean. Esta manifestación de acciones y reacciones es lo que se denomina el condicionamiento de nuestro inconsciente. Ese tipo de reacción espontánea es lo que suele gobernar nuestros reflejos corporales, como una especie de programación electrónica predeterminada.

Podríamos seguir profundizando en ese fenómeno refiriéndonos a los resultados de estudios que demuestran que una persona introvertida es más susceptible de ser condicionada que una extrovertida, pero ese principio de acción-reacción inducido por la gestualidad pertenecería a otro libro.

Para ilustrarlo, recuerda el momento en que, por primera vez en tu vida, viviste un instante de intimidad en compañía. Si en ese momento preciso había música o sonaba una canción, te sentirás transportado en el tiempo cada vez que oigas esa melodía. A pesar de los años que pudieran haber pasado y de los que tengas por delante, es muy probable que el hecho de oír ese tema de nuevo engendrase una pulsión que te haría revivir esa sensación particular de tu vida. Puede darse el mismo fenómeno con otros dos sentidos, por ejemplo cuando percibes o comes (¡o incluso ves!) un alimento muy concreto que te produjo náuseas la primera vez que lo probaste. Desde ese momento estás condicionado inconscientemente a padecer el mismo malestar cada vez que encuentras ese sabor o ese olor en tu entorno. Cuando se está condicionado de esa manera a reaccionar siempre de la misma forma, y a menudo realizando los mismos gestos, la situación se convierte en un ritual de reacciones.

La emoción

Si no hay emoción no hay sentimiento: la primera es inherente a la aparición del segundo. Por lo general, y como la emoción es más profunda y duradera que la pulsión, su secuencia repetitiva hace germinar el sentimiento y su eclosión toma diferentes formas, como bienestar, agitación, distensión, miedo o gratificación. Aunque la emoción dura más que la pulsión, su duración es más corta que el sentimiento.

La pulsión evoluciona de manera que desencadena la energía necesaria para la aparición de la emoción. Para ilustrarlo podemos poner el ejemplo del impacto rápido del palo de gol y decir que es comparable a la pulsión, y que el tiempo en que la pelota se encuentra en el aire es comparable a la emoción. A través de este proceso emocional, manifestamos una cierta actitud que tiene por resultado un comportamiento gestual específico. Se comprende entonces que al ascender un cierto escalón emocional resultará difícil contener el gesto que lo acompaña. Fíjate que cuando una persona presencia un accidente mortal, la emoción hace que no pueda hablar, que tenga una mirada alelada y que suela estar con la boca entreabierta.

En cuanto una emoción engendra un gesto que expresa de manera consciente o inconsciente nuestra actitud interior, el discurso se torna más intenso y se refuerza. Como cada movimiento y cada postura tienen una importancia capital en una comunicación entre dos interlocutores, te beneficiarás al fijarte en particular en cada uno de los gestos manifestados. E incluso puedes ir más allá de simplemente captar los mensajes como un receptor de radio: también puedes llegar a descifrarlos.

El sentimiento

¿Quién no recuerda el afecto de sus padres cuando era un niño, o la amistad de sus amigos y compañeros? ¿Quién no ha recibido una postal de san Valentín que expresase el estado amoroso de la persona amada, o una invitación a una fiesta que mostrase el afecto de determinada persona?

El sentimiento contiene una dimensión pasional más duradera que la emoción, y el proceso sentimental, en su conjunto, requiere de bastante más tiempo para definirse que una pulsión o una emoción. Por ello nuestros sentimientos se hallan entre las impresiones más elaboradas existentes, y dejan una huella en nuestra personalidad. Los sentimientos conectados con nuestras emociones son los que nos empujan, entre otras cosas, a ser un individuo leal, honesto, cariñoso o sincero.

Como en otras muchas situaciones, nuestros sentimientos suelen ser el único mecanismo positivo que nos empujará a actuar con compasión, a perdonar o a sentir simpatía por nuestros semejantes, igual que el mecanismo negativo que nos hará guardar rencor, mostrarnos desagradables o mostrar antipatía hacia los demás.

Sin poner en cuestión todo lo anterior, el cuerpo se expresa mediante una gestualidad que cambia según nuestro humor, como las nubes en el cielo. Como reacciona a todos los niveles de nuestra estructura emocional, resulta que acabamos contando con una gran proliferación de gestos y de palabras. No obstante, el lenguaje corporal es muy explícito con respecto a los sentimientos: a causa de nuestra estructura psicológica, los mensajes silenciosos son más frecuentes y expresivos cuando están relacionados con ellos. Por ejemplo, una caricia, una tensión, una sorpresa o el miedo son rápidamente detectables a través de la expresión del rostro, de las manos o de los ojos.

En ese contexto nuestros gestos resultan muy visibles, pues prácticamente todos los músculos de nuestro cuerpo reaccionarán como las hojas de un árbol agitadas por un fuerte viento. Eso es lo que hace que nuestros sentimientos resulten fácilmente detectables a través de nuestra postura o nuestra manera de comportarnos frente a una persona o un suceso. Igual que lo escrito en una página de diario íntimo desvela el alma de su autor, el ser humano comunica sus sentimientos mediante sus actitudes; puede así desvelar el temperamento que subyace a su gestualidad.

Nuestro diario íntimo utiliza varios caminos para llevar a cielo abierto nuestros sentimientos de manera consciente o inconsciente. A veces, podemos incluso tener la sensación de estar siendo observados o de adoptar cierta postura cuando observamos a los demás. Con motivo de una ocasión especial, como pudiera ser comunicar a nuestro cónyuge que todavía nos conmueve, aunque quede ya lejos el primer día de nuestra unión, podemos ofrecerle flores acompañadas de unas palabras de afecto. El destinatario puede permanecer mudo durante un instante, pero a continuación una sonrisa iluminará su rostro y podrá expresar, mediante otro gesto, la emoción que le inunda. En otro contexto, como el de un duelo, las flores serán menos apropiadas que testimoniar nuestro apoyo a través de nuestra presencia.

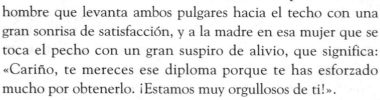

En un suceso tan particular como la entrega de diplomas, podemos reconocer con facilidad a los padres del joven honrado desde el momento en que se pronuncia su nombre en público. No tenemos más que escrutar la sala para reconocer al padre en ese hombre que levanta ambos pulgares hacia el techo con una gran sonrisa de satisfacción, y a la madre en esa mujer que se toca el pecho con un gran suspiro de alivio, que significa: «Cariño, te mereces ese diploma porque te has esforzado mucho por obtenerlo. ¡Estamos muy orgullosos de ti!».

No obstante, también a veces llega un momento en la vida en que debemos reflexionar antes de pronunciar las palabras: «Tengo la sensación de que...», o: «Me parece que...». Sí, esas palabras reflejan un cierto compromiso personal y expresan nuestras convicciones y nuestros deseos más profundos; pero nuestro cuerpo vive siguiendo el ritmo de nuestros sentimientos y toda la fisonomía de nuestro rostro cambia como un gusano que se transforma en mariposa.

Los comportamientos

Protegemos nuestra envoltura carnal de diversas maneras: nuestras acciones, reacciones, palabras y gestos transmiten un mensaje a quienes nos rodean. Nadie puede afectarla sin provocar cambios en el comportamiento. Somos muchos los que intentamos disimular nuestros pensamientos más profundos fabricando un proceder mímico o intentando dar una falsa impresión a los demás. En realidad, a través de nuestros comportamientos sólo conseguimos contener nuestras palabras, pero muy a menudo el cuerpo transmitirá incluso informaciones que nos gustaría disimular.

Por decirlo de alguna manera, el conjunto de nuestras reacciones son conductos conscientes o inconscientes que desvelan nuestro estado emocional. Tenemos un ejemplo revelador cuando nuestro cuerpo se repliega sobre sí mismo adoptando un gesto de protección, cruzando los brazos o las piernas cuando desconfiamos, sospechamos o estamos incómodos.

Igualmente, una persona lanzará una mirada asesina frunciendo las cejas o levantando un brazo con una mano proyectada hacia el aire, para advertir a otra que deje de acercarse. En el extremo opuesto a este gesto, el cuerpo podría abrirse como una flor con los brazos separados, en el caso de apreciar una situación.

Cuando nuestro cuerpo se abre, se cierra o realiza cualquier otro gesto, hay que tener en cuenta un principio de la gestualidad: todo cambio de comportamiento revela un simbolismo que manifiesta el sentido profundo de la actitud subyacente. Por eso, resulta muy revelador cuando fruncimos los ojos como para aprehender mejor la verdad, demostrando que dudamos de nuestro interlocutor; o cuando abrimos los brazos con una sonrisa que ilumina todo el rostro para demostrar nuestra satisfacción. Nuestros gestos no son ningún accidente, ¡sino más bien al contrario! Desenmascaran nuestro estado de ánimo en un momento preciso de nuestra vida.

Por otra parte, existen otros comportamientos que se estudian y codifican para que tengan una utilidad grupal. Así por ejemplo, el ejército o la marina exigen a los soldados una uniformidad en la postura consciente. Partiendo del mismo principio, el profesor prescribe a sus karatekas, en un *dojo*, que adopten una misma postura a fin de controlar mejor los actos y el comportamiento de las personas.

La postura que adoptan los soldados separando los pies, abriendo los hombros y con las manos cruzadas por detrás de la espalda cuando un mando ordena «¡descansen!», no es gratuita. Efectivamente, esta postura abierta del cuerpo tiene por objeto que el responsable pueda dictar las órdenes sabiendo que serán recibidas con obediencia. Estamos de acuerdo en

que la importancia de tal postura radica en una forma de manipulación gestual, pero también lo estamos en no seguir profundizando en el tema por el bienestar de nuestros soldados y en nombre de nuestra seguridad.

Otros gestos resultan menos deliberados: evocan simplemente nuestro aburrimiento, la debilidad o la ausencia de la presencia mental. Estamos ante ese tipo de comportamiento cuando tamborileamos repetidamente con los dedos de la mano sobre una mesa o cuando la mirada se nos queda fija durante largo tiempo sobre cualquier objeto, incluso sobre un pedazo de papel del suelo. ¿Quién no se ha fijado en la adolescente que sueña con su príncipe azul, o en el chico que está en la luna preguntándose si no será él dicho príncipe? Estos comportamientos gestuales traicionan de manera flagrante nuestra irritación, frustración, confusión, cólera, ensueños o falta de atención.

Nuestro nivel de tolerancia o de impaciencia también suele expresarse mediante numerosos gestos, que van desde la crispación de los dedos hasta el desplazamiento rápido sobre una silla, pasando por mascullar.

En las páginas siguientes repasaremos en profundidad varios de los gestos que acabamos de mencionar y los acompañaremos de sus significados comprobados.

La intimidación también puede intervenir en la gestualidad. El antiguo presidente estadounidense John F. Kennedy empleaba un truco muy sencillo y eficaz cuando se quedaba sin argumentos. Cuando debía hacer frente a un adversario duro o simplemente a un interlocutor hábil, su comportamiento reflejaba cierta gestualidad hostil. En la medida en que las circunstancias lo permitían, se acercaba lentamente a la persona mirándola de frente y, desde lo alto de su figura, a una distancia de un brazo de su oponente, le tocaba delicadamente el pecho con el dedo índice extendido, justo a la altura del plexo solar, ¡para indicar peligro!

Ante este gesto provocador, el adversario no podía permitirse recular si quería mantener su posición en el plano dialéctico. No obstante, el leve empujón del dedo, y el ligero desequilibrio que podía provocar, daban tiempo al presidente para recuperar-  se y para desconcertar a su interlocutor. Gracias a esta distracción, éste debía revisar su argumentación y reafirmar su territorio.

La psicología del inconsciente de Sigmund Freud, la del lenguaje de Jacques Lacan y el análisis de los gestos del doctor Desmond Morris han preparado el terreno para el desarrollo de la explicación de los comportamientos y del lenguaje gestual.

Toda la complejidad que radica en el hecho de realizar los gestos de costumbre inconscientes, como el sencillo movimiento de cruzar los brazos o las piernas, forma parte de los descubrimientos relacionados con el estudio conductista. Te invito a realizar un breve ejercicio conmigo. Deja a un lado el libro durante un momento y cruza los brazos con naturalidad... ¡Vamos!

Te darás cuenta de que uno de tus brazos domina con la mano al otro, sea con la mano izquierda sobre el brazo derecho, o con la mano derecha sobre el izquierdo. A continuación te pido que inviertas la postura de los brazos... ¡Venga!

¿Te has fijado en que un simple cambio de tu postura habitual puede resultar tan difícil como solucionar un rompecabezas? ¿Eres de esas personas que deben devanarse los sesos para realizar una tarea tan elemental? Imagínate: si un simple cambio de brazos puede ponerte tan incómodo, ¿cuál será tu reacción si me hubieses tenido delante de ti mirándote realizar este ejercicio?

Algunas personas se sentirían muy molestas a causa del nivel de dificultad y otras se mondarían de risa ante la estupidez de tal juego. Y, no obstante, este gesto primario de cruzar los brazos se lleva a cabo con cierta frecuencia a lo largo de la jornada y resulta muy revelador de nuestros comportamientos instintivos.

Te desvelaré un pequeño secreto de la gestualidad relacionada con este gesto: si tu mano derecha es la predominante, eres una persona que protege su territorio o su espacio de una forma más bien agresiva o autoritaria. Por el contrario, si la que domina es la mano izquierda, eres una persona en actitud de defensa de su territorio o de su espacio vital; reaccionas de manera consensuada o más sumisa a fin de rehuir la confrontación, al tiempo que te defiendes de tu interlocutor como un guerrero. Si las dos manos se ocultan bajo los brazos, eso significa que proteges silenciosamente tus posiciones. Finalmente, si ambas manos agarran los brazos, estás demostrando que no te dejas intimidar o que tu barrera de protección es difícilmente penetrable.

Los gestos son como las páginas de un libro abierto. Se suceden como los vagones de un tren que transportase cada uno sus propios cargamentos de percepciones, impresiones o intuiciones.

En el transcurso de una recepción o en una discusión de grupo, los cargamentos de gestos son numerosos, y al observar a la gente se puede adivinar con cierta facilidad su estado de ánimo o quién irrita a otra persona a través de la manera en que están frente a frente. Un individuo temeroso encorvará la espalda y los

hombros, mientras que alguien seguro
de sí mismo se mantendrá derecho.
También veremos que la persona
que cuenta secretos se tapa la boca
con la mano para asegurarse de que
la información no se propaga como
un virus maligno.

O el hecho de que contemos con un vocabulario propio
para expresar la confianza o la desconfianza, por ejemplo, no
nos impedirá realizar un gesto como levantar el puño o sonreír.

En un entorno social se demuestran ciertas intenciones
utilizando protocolos universales. En una
perspectiva de comportamiento pacífico,
los gestos protocolarios universales
expresarán nuestra benevolencia y
demostrarán nuestras intenciones de
cordialidad o simpatía. Esas intenciones amistosas pueden notarse en un
apretón de manos dado a perfectos
desconocidos o en el saludo cordial con
la cabeza.

Es verdad que los protocolos pueden diferir considerable-
mente entre culturas; en ese caso, y antes de descodificar un
gesto de fraternidad, es necesario tener en cuenta las diferencias culturales. Así pues, un comportamiento considerado
agresivo por un anglosajón podría ser juzgado como afectuoso
por un latino. Para comprenderlo basta con observar el desa-
sosiego de un diplomático británico cuando su interlocutor le
coge del brazo en su primer encuentro.

Ciertos gestos protocolarios deben ser considerados con una atención particular: el beso de amistad de un francés o de un ruso es una expresión normal para sosegar el encuentro y para manifestar un afecto sincero. Por el contrario, los norteamericanos se saludan estrechándose las manos, mientras que los chinos inclinan levemente la parte superior del cuerpo en señal de saludo y de complacencia, aunque se mantendrán bien derechos en presencia de un desconocido. La última parte de este libro pasa revista a gestos puramente culturales en relación con sus valores originales.

Existen otros factores, además de los culturales, que pueden influir en nuestra interpretación de los gestos. Por ejemplo, a un mormón le resultará fácil juzgar equivocadamente el beso que se dan, fuera del contexto de su país, dos amigos franceses que se encuentren en

un restaurante de Utah, en Estados Unidos. Para él, ese gesto anodino no es una demostración de amistad, sino que lo interpretará como una manifestación de homosexualidad.

Aunque es cierto que siempre debemos traducir los gestos en función de los comportamientos, debemos tener en cuenta el contexto y la cultura de cada uno. La impaciencia a la hora de leer un gesto fuera de contexto es una invitación a condenar con demasiada rapidez al otro, que podría sentirse perjudicado y que inevitablemente nos castigará por nuestra falta de criterio.

En pocas palabras, antes de interpretar correctamente un gesto de un interlocutor hay que tener en cuenta diversos componentes, como las distintas conductas, costumbres y tradiciones.

En todos los seres humanos, los gestos son resultado de la satisfacción, la confianza y la aceptación en igual medida que de la frustración, el miedo o el terror. La infancia, a causa de los cuidados y mimos de los padres, es terreno abonado para fomentar la emergencia de diversos sentimientos, como los de seguridad, amor y sentirse aceptado. No obstante, en la edad adulta a veces también tenemos la misma necesidad de ternura y de seguridad, pero la afirmamos de una manera más sutil.

La edad adulta no acaba con todos los sentimientos de pavor o de temor. Esas sensaciones pueden invadirnos igualmente, como cuando oímos un trueno, con motivo de una tormenta y, en ese momento preciso, sentimos todavía la necesidad de dulzura y consuelo. Como nuestros padres ya no están presentes para defendernos de ese «ruido malo», utilizamos nuestros brazos como sustitutos para abrazarnos a nosotros mismos.

A veces, en momentos de pánico, hay personas que tienen tendencia a cruzar los brazos, ocultando los puños por debajo y balanceando la parte superior del cuerpo hacia delante y atrás, en un gesto que tiene por objeto calmarse y consolarse a sí mismas, como un recién nacido al que mece los brazos de la madre.

Todo gesto manifestado es un indicio que nos traiciona, dejándonos al descubierto. Aunque a veces deseemos disimular nuestra verdadera personalidad o nuestros sentimientos bajo una máscara, nuestra gestualidad permitirá el paso de señales que dirán mucho más de lo que desearíamos acerca de nuestro estado de ánimo y emocional.

Hay estudios de sinecología que demuestran que es posible manipular o engañar a alguien mintiendo o eligiendo nuestras palabras con prudencia antes de hablar. Pero nuestro principal reflejo instintivo rara vez puede ocultar la verdad, pues nuestro inconsciente no permite que el cuerpo reflexione o mienta.

Aunque el cuerpo carece de la capacidad de reflexionar, lo cierto es que constituye un sistema inteligente sin igual: cuando atrapamos cualquier virus, se defiende aumentando la temperatura corporal para advertirnos que acabamos de ser invadidos por un cuerpo extraño e indeseable. Del mismo modo, también controla sus funciones de evacuación cuando acabamos de correr y elimina el sobrante de calor. En ese momento, el ritmo de las pulsaciones cardíacas aumenta y nuestro cuerpo rechaza, como un motor, el exceso de calor mediante miles de gotas de sudor que se evacuan a través de los poros de la piel.

Esta maravilla mecánica no detiene nunca la ejecución de nuestra gestualidad, multiplicando las expresiones del rostro, los movimientos de las manos y nuestras posturas, lo que nos permite realizar una distinción entre lo que se dice y el auténtico mensaje que está comunicando nuestro rostro, las manos y las piernas. Por otra parte, toda una sección de este libro está reservada a la interpretación de los gestos de las piernas y de los pies, para que resulte más fácil comprender los mensajes ocultos de nuestros interlocutores.

El engaño

Inconscientemente, a causa de una falta de control de la parte inferior del cuerpo, las personas prefieren disimularla tras un escritorio a fin de ocultar toda la verdad muda. De este modo reducen las señales de nerviosismo, de cierre o de agitación, mostrando únicamente expresiones verbales y faciales.

¿Te has fijado alguna vez que en los juzgados sólo el juez cuenta con una mampara que le oculta las piernas bajo la mesa? ¿Te has dado cuenta de que estamos ante el mismo fenómeno cuando tienen lugar las elecciones sindicales o una reunión de asociaciones, cuando en la mesa de la presidencia aparece un mantel que cubre inconscientemente las piernas y los pies de las personas que allí se sientan? Esta protección o camuflaje tiene por objeto evitar que muestren gestos contradictorios con respecto a sus declaraciones, pues los de la parte superior del cuerpo están bajo su control, mientras que los de la parte inferior escapan a su vigilancia o a la de los demás.

Imaginemos por un instante a un dirigente sindical y a sus representantes afirmando con mucha fuerza que la empresa se plegará con facilidad a todas sus reivindicaciones, y que en ese mismo momento levantásemos el velo que cubre sus piernas. Con toda probabilidad veríamos que al menos cuatro de ellos las tendrían cruzadas como eslabones, y otros dos simplemente cruzadas a la altura de la rodilla, balanceando el pie en dirección a la puerta siguiendo un ritmo pendular. ¿Resultarían sus palabras tan convincentes? Si hemos de recordar

una lección, debería ser que si hay que mentir es preferible hacerlo por correo electrónico o por teléfono. De esa manera el cuerpo no podrá traicionarnos.

Por fortuna para la humanidad, la gestualidad hace que el engaño y la mentira resulten más difíciles. Contrariamente a la palabra, el cuerpo carece de práctica para ocultar la verdad y, tanto si lo queremos como si no, nuestras verdaderas intenciones acaban siendo tan transparentes como una vitrina.

A veces preferiríamos inconscientemente poder recurrir a la palabra para saber si la información es falsa. No experimentamos ninguna dificultad, en caso de duda, para hacer preguntas más concretas a fin de descubrir la verdad. No obstante, hay que andarse con ojo, pues a menudo el engaño no queda expuesto a través de las palabras, sino más bien de los gestos. En ocasiones soltamos una mentira por cortesía o por pereza, pues haría falta hacer muchas preguntas para poder identificar la naturaleza de la mentira, ya que el origen de la duda no siempre está claro. No obstante, mediante los gestos sí que podemos llegar a identificar todo eso, pues éstos pueden ayudarnos a desenmascarar un engaño verbal o mental. El mentiroso cabal sabe que los gestos espontáneos le traicionarán, así que los suprime metiéndolos en el bolsillo.

En otras ocasiones, el individuo que acaba de pescar un pez no parecerá un mentiroso muy hábil al exagerar el tamaño de su captura. Contará su hazaña utilizando la distancia entre las manos para indicar la longitud del pescado y seducir a sus interlocutores. ¿Te has dado cuenta de la correlación existente entre la longitud del pescado y las manos y la elección de las palabras para apoyar esta demostración? Por ejemplo, un pescador de ese tipo afirmaría: «¡Te lo digo de veras, era enorme, así de grande! ¡Te lo juro, era una ballena!». Y cuanto más hable, más separadas estarán sus manos, como por arte de magia. Podríamos decir que al ser humano no le cuesta nada hacer crecer con el pensamiento un pez que acaba de atrapar.

Otra de las gestualizaciones que solemos utilizar, para evitar que se descubra una mentira, es cambiar constantemente de postura, como si tuviésemos el cuerpo invadido por una marabunta de hormigas de la verdad. El indicio verbal será una cierta duda entre cada afirmación, puntuadas por expresiones y frases tipo: «¡Ah! Lo que quiero decir es que...», o: «¡Eso no es exactamente lo que quería decir!».

Por otra parte, y con objeto de ganar tiempo para preparar una respuesta más conveniente, una persona podría contestar hábilmente una pregunta con otra pregunta: «¿Qué quieres decir exactamente?», o: «¡No entiendo qué quieres decir! ¿Podrías repetir, por favor?».

Por fortuna, una parte de este libro trata de la gestualidad de las mentiras. ¡Para que resulte fácil descubrirlas!

El maravilloso mundo de los gestos

Con todo el espacio que ocupa la palabra en el gran escenario de nuestra vida, solemos olvidar que nacimos con todo lo necesario para expresar nuestros mensajes corporales. En nuestro paso por la tierra, nuestros gestos ocupan un importante lugar. Al nacer ya disponemos de un bagaje gestual, mientras que el aprendizaje y la exploración de la palabra todavía tardarán en ocupar un lugar en la escena de la vida. No sólo disponemos de toda una variedad de gestos, sino que podemos aprender a controlarlos con la complicidad de las emociones, siempre que no permitamos que estas últimas nos invadan hasta el punto de perder de vista el sentido de las cosas. También desde los primeros meses de nuestra vida podemos sentir la presencia de seres queridos gracias a nuestro instinto natural y a nuestras intuiciones.

A lo largo de la vida llevamos a cabo el aprendizaje de sentimientos como amor, odio, miedo y alegría. Y a través de la gestualidad, manifestamos mediante una actitud precisa nuestros verdaderos sentimientos. Por ejemplo, cuando aplaudimos con fuerza, demostramos nuestro entusiasmo, y cuando flexionamos el brazo mostrando los bíceps, expresamos nuestra sensación de poder.

Ruego tu colaboración durante unos breves instantes, a fin de que participes en otro ejercicio. ¿Te parece bien? ¡Claro que sí! Bien, entonces, deja a un lado el libro durante unos instantes e incorpórate. A continuación, siéntate de manera *natural* y *cómoda*, como lo harías en cualquier ocasión. Venga.

¿Ya está? Si perteneces al sexo femenino, probablemente te habrás sentado, como la mayoría de las mujeres, con ambos pies en contacto con el suelo, mediando una separación entre ellos que variará entre 0 y 25 centímetros. Si no formas parte de la mayoría, habrás cruzado los tobillos con una pequeña separación entre las rodillas o bien habrás cruzado la pierna izquierda sobre la rodilla derecha o al contrario. ¿Que no formas parte de ese grupo que se sienta de esas tres maneras? Pues bien, eso significa que formas parte de la minoría que coloca una pierna por debajo con las manos tímidamente reposando sobre los muslos.

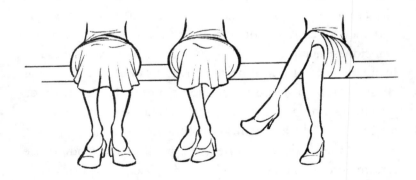

Por otra parte, los estudios de Desmond Morris demuestran que es mucho más frecuente ver a una mujer que a un hombre sentarse con las piernas cruzadas en doble bucle (con el pie de la pierna superior por detrás de la pantorrilla de la pierna inferior). Es de suponer que no es una postura natural para la anatomía masculina.

Y si eres del sexo masculino, casi con toda seguridad te habrás sentado, como casi todos, con una pierna cruzada, con el tobillo apoyado en la rodilla. La expresión para describir esta postura de las piernas es en forma de 4. Si no tienes las piernas así, puede que hayas estirado una o las dos, cruzando ligeramente los tobillos, para ocupar todo el espacio deseado. ¿Que no formas parte de la mayoría de los hombres? Entonces te habrás sentado con los dos pies bien plantados en el suelo, con una separación entre ellos de entre 40 y 60 centímetros, que es la distancia existente entre los hombros.

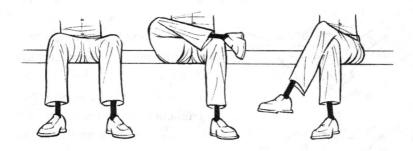

Este pequeño ejercicio no pretende pasar revista a la interpretación de la postura de piernas y pies, pues esas dos partes tan elocuentes de la anatomía serán examinadas en el más adelante. No obstante, el ejercicio te habrá proporcionado una idea aproximada de la increíble cantidad de variaciones, de posturas posibles, existentes en el simple hecho de sentarse. También exploraremos en detalle el significado de muchas de ellas.

Regresando al ejercicio anterior, si no te identificas con las posibilidades de las posturas enunciadas, ¡lo más probable es que procedas de otro planeta o que merezcas ser objeto de otro estudio! Hablando en serio, tu postura proviene o bien de una costumbre medioambiental, lo que explica que la adoptemos varios y que sean escasos los extraterrestres en esta materia, o de un hábito cómodo en función de la propia anatomía. Es decir, no hay nadie que te haya enseñado a sentarte y esta acción espontánea no comunica grandes mensajes subliminales extraordinarios, seas hombre o mujer.

Pero una vez sentado, tu manera de mover el cuerpo envía señales que revelan tu actitud o tu disposición momentánea.

Te propongo otro pequeño ejercicio, otra demostración. ¿Te prestas voluntario otra vez? Entonces, cruza las manos adoptando la postura de oración cristiana, es decir, cerrándolas con los dedos de una mano entre los de la otra. Seguidamente y antes de pasar a la acción, habría que preguntarte qué pulgar crees que estará por encima. ¿Será el derecho o el izquierdo? Ahora puedes realizar el ejercicio.

Ante este posicionamiento tan inconsciente y natural de los dedos no puedes decidir nada. Tu pulgar dominante se impondrá a pesar de tu voluntad, porque refleja tu tendencia natural a la creatividad o a la lógica. ¿Cómo te consideras, creativo o lógico? Pues bien, el lado izquierdo de nuestro cuerpo refleja sobre todo nuestra tendencia hacia la razón, mientras que el derecho manifiesta nuestra capacidad instintiva para pensar desde el ángulo del absurdo o de la abstracción.

A continuación, cruza una vez más las manos colocando el otro pulgar por encima. Este gesto, totalmente banal y típico, proviene de manera inconsciente de tu personalidad interior y dominante; de hecho se origina en el lado del cerebro dominante, donde se hallan las estructuras de reflexión y de razonamiento natural. Al situar tu otro pulgar en posición dominante, cambias tu estructura de pensamiento, y por eso pones tu zona de tranquilidad en peligro.

¿Has observado en alguna ocasión a una persona que esté reflexionando antes de tomar una decisión? Si te fijas te darás cuenta de que a menudo se tiene tendencia a cruzar las manos para concentrarse y a fijar la mirada en un lugar preciso. También constatarás que mueve sin parar ambos pulgares para colocarlos continuamente en posición dominante. ¿Qué constatación podemos extraer de este último gesto? Esa persona utiliza los dos hemisferios de su cerebro antes de tomar una decisión iluminadora; sus ideas se desplazan entre la razón y la creatividad. Es como si estudiase con la lupa de ambos hemisferios cerebrales todos los elementos informativos de que dispone para reflexionar, razonar y a continuación decidir.

Los dos hemisferios cerebrales

La ciencia lleva siglos apasionada con el funcionamiento del cerebro. Con las investigaciones y los avances científicos, a finales del siglo XX presenciamos el nacimiento de la neuropsicología. Esta ciencia no sólo estudia el funcionamiento neurológico del cerebro, sino también su relación con el cuerpo. El descubrimiento más importante ha sido observar que cada región específica del cuerpo corresponde a una región igual de concreta del cerebro.

Este campo es muy amplio, pero para servir a nuestro propósito, digamos que el cerebro humano posee tres partes muy diferenciadas y que funcionan independientemente entre sí. Por ello el lado izquierdo, el lado derecho y el cuerpo calloso, que une a los dos primeros, tendrían cada uno de ellos un papel diferente.

Los estudios han demostrado que en nuestro hemisferio derecho están localizadas las regiones especializadas en la creatividad, el ritmo, las imágenes y la expresión de las emociones y los sentimientos. Por el contrario, el izquierdo interviene sobre todo en el proceso decisorio de una persona. El razonamiento y la argumentación provienen también de esta parte. Concretando más, diremos que en la parte trasera de nuestro cerebro izquierdo se ocultan la conciencia, la visión, las cifras y el cálculo. Cuando se enumeran las esferas en que está especializado el hemisferio izquierdo, comprendemos que es el que actúa en los tests de inteligencia, que se concentran en la lógica y la razón.

A partir de ahora, en el futuro te darás cuenta de que, cada vez que te encuentres en una situación que requiera de una respuesta matemática, de un cálculo o de la evaluación de un problema, tendrás tendencia a rascarte la parte superior de la nuca para ir descendiendo poco a poco esa mano hacia la base del cuello.

Otra importante parte de nuestro cerebro: la zona frontal del cráneo, reservada a la reflexión. Es ahí, y concretamente en la zona de la frente, donde se activa nuestro proceso decisorio, que da paso a nuestras decisiones. Una vez más te estarás dando cuenta de que cada vez que una persona está a punto de tomar una decisión, se frota la frente de izquierda a derecha con uno o dos dedos, o incluso con cuatro, apoyando el pulgar en la sien. Este gesto denota, silenciosamente, duda entre una decisión guiada por la creatividad o por la lógica y el discernimiento. La frente es la sede de la concentración, y revela el esfuerzo intelectual y la selección de ideas que se realizan antes de pasar a la acción.

La capacidad de escucha femenina

Según un estudio del doctor Joseph Lurito, llevado a cabo con la ayuda de la técnica de escucha mediante resonancia magnética, que permite medir la actividad cerebral a través de la producción de imágenes multidimensionales del flujo sanguíneo en las diversas zonas del cerebro, los hombres, a diferencia de las mujeres, al escuchar no utilizan más que el hemisferio izquierdo de su cerebro, que asocia comprensión y lenguaje.

En el transcurso de este estudio se observó que según la entonación de cada sonido se produce en nuestros lóbulos temporales una cierta manifestación o actividad sanguínea. Se ha observado en el curso de una conversación que en los hombres sólo se manifiesta el lóbulo izquierdo, mientras que en las mujeres reaccionan ambos, lo que quiere decir que ambos hemisferios de su cerebro entran en acción al mismo tiempo.

Pero las mujeres no pueden proclamar victoria con tanta facilidad, pues el estudio no es cualitativo; por tanto, no se puede concluir que escuchen mejor que los hombres. Tal vez signifique que para ellas es más difícil hacerlo, pues aparentemente deben utilizar una gran parte de su cerebro.

De todos modos, esta sección del libro no tiene por objeto desencadenar una guerra de sexos, sino desvelar que hombres y mujeres siguen procesos distintos en el tratamiento del lenguaje verbal. No hay que olvidar que todo tiene que ver con la voluntad: ¡aunque oír es una capacidad natural, escuchar tiene su origen, por el contrario, en una decisión!

Este mismo estudio sugiere que las mujeres pueden escuchar dos conversaciones a la vez, mientras que a los hombres les resultaría muy difícil escuchar más de una. Personalmente, debo admitir que soy del tipo de los que cuentan con una escucha verbal selectiva, mientras que mi esposa, aunque quiera abstraerse de todos los sonidos, oye todos los ruidos que tienen lugar en su entorno. La conclusión de este estudio norteamericano es que una gran parte del cerebro de las mujeres está consagrado a oír y no únicamente a la percepción de sonidos. Para los hombres estos resultados podrían convertirse en una especie de liberación, si se admite que la población femenina cuenta con una laguna: el hombre suele hacer gala de una escucha más selectiva que la mujer. Podría entonces decirse que no es culpa suya si no escucha, ¡porque la naturaleza le ha hecho así!

Las actitudes

En función de la manera en que captamos a la persona con la que nos encontramos o el suceso que tiene lugar, proyectamos inconscientemente nuestras propias estructuras emocionales sobre nuestro cuerpo. Si, por ejemplo, sentimos desconfianza hacia ella, nuestros ojos lo reflejarán entrecerrándose, como para dejar filtrar la verdad, o lanzando una mirada seca y fría a nuestro interlocutor, como para congelar sus palabras o sus gestos. Cuando tiene lugar un enfrentamiento, nuestro cuerpo revela su necesidad de protección replegándose sobre sí mismo, mientras que se desenrollará como una bobina y se desplegará si aumenta nuestro interés por una persona o un suceso.

Durante nuestros intercambios con los demás, debemos observar a través de nuestro objetivo cada uno de sus gestos de apertura y cierre, a fin de poder realizar una evaluación continua de su lenguaje corporal. Esta buena costumbre nos permitirá estar al acecho de las diferencias entre el significado de las palabras y el de los gestos, y así descubrir el equilibrio justo entre las intenciones reales de una persona y sus actos.

Una vez comprendida esta verdad sociológica, que dice que somos una especie de animal social que tiene necesidad de comunicarse con sus semejantes para existir ante sus propios ojos y los de los demás, empezaremos a invertir en el intercambio de información y conocimientos que nos proporciona seguridad tanto emocional como sentimental. Es necesario saber que nos hallamos perfectamente preparados para cualquier proceso de comunicación, verbal o no verbal, asumiendo los papeles tanto de emisores de ondas como de receptores de mensajes.

El ser humano posee un gran repertorio de gestos que reflejan diversas actitudes, sobre todo confianza, falta de interés, estar pensativo o desconfianza.

La confianza

La confianza es la clave de todo diálogo; dependiendo de su nivel, establece los baremos en los que se producirán los intercambios verbales y de otra naturaleza. Un proceso de intercambio sin una base de confianza se parece a un funambulista caminando por una cuerda sin red. Es posible que entonces la conversación esté salpicada de diversos gestos de antipatía e incluso de indiferencia.

Por otra parte, desde la primera palabra de un intercambio verbal, el ser humano intentará ante todo establecer la red de seguridad de la confianza. Por eso pondrá una atención especial al apretón de manos que se le ofrecerá, observará la sonrisa en el rostro de su interlocutor, así como su postura, y buscará una señal de apertura, como en un abrigo desabotonado, que demuestre una actitud distendida.

Un clásico gestual que es señal de confianza: la punta de los dedos de la mano izquierda en contacto con los de la mano derecha para conformar una pirámide. Esta postura de las manos se parece curiosamente al tejado de una iglesia, un lugar asociado con la fe, la sinceridad y la justicia.

Observa en la ilustración la separación existente entre los dedos, que permite filtrar una actitud de apertura y de espacio de maniobra. Los intersticios entre los dedos muestran una disposición a aceptar los cambios o una toma de decisión. Juzga favorable la pirámide en ángulo,  señalando en tu dirección, pues te está hablando de la admiración y de la gran confianza que provocas.

Pero cuidado cuando la cima de la pirámide de los dedos toca la boca del interlocutor: significa que sólo confía en sí mismo. Se fía más en sus capacidades de convicción que en las tuyas. Alguien así que te haga una pregunta y adopte este gesto

al esperar la respuesta estará dudando de
tus conocimientos. Has de saber que
esa persona ya conoce la respuesta y
que sobre todo lo que quiere es
juzgar tu nivel de discernimiento.

Algunos gestos de ansiedad
o de desconfianza, que se manifiestan en nuestro comportamiento, indican un cambio de la
actitud mental. Por ejemplo, en el
transcurso de una conversación en
la que una persona sentada se siente ineficaz, pero que de
todos modos desea proteger su integridad, cruzará los tobillos
y replegará las rodillas. Esta postura oculta sus pies, pero revela su deseo de protegerse de gente a la que no controla. De
manera general podríamos decir que alguien que está sentado
y que no respeta la forma del asiento estaría transmitiendo el
mensaje de que se halla muy incómodo, incluso temeroso, o
que desea una aprobación. La persona sentada que agarra un
pelo imaginario entre el pulgar y el índice está silenciosamente solicitando empatía.

El desapego o la indiferencia

Curiosamente, cuando alguien contradice
lo que estamos diciendo, tenemos tendencia
a levantar la mirada con la rapidez de un
rayo para traducir nuestra exasperación,
pero también para mostrar que la información recibida es rechazada en el aire
antes de que nos alcance como a un blanco inmóvil.

En otro contexto, cuando una conversación se agria, nuestra actitud instintiva es protegernos cruzando los brazos por delante del cuerpo como un escudo. Este gesto amplía la repulsión, el deseo de huir de la presencia del interlocutor, que a veces también incluye respirar hondo, como si intentase recuperar el aliento tras presenciar un accidente potencial.

Por otra parte, un individuo que te aborda con los brazos cruzados o sosteniéndose las gafas en la punta de la nariz y mirándote por encima de la montura te está dejando entrever una actitud de sospecha, de abuso de confianza y de duda. Así es como testimonia su firme deseo de contradecirte, pues duda de tus palabras.

También hay otra forma gestual que demuestra intolerancia o falta de interés: agarrarse los brazos con las manos. En ese caso, es muy probable que la persona que realiza ese gesto esté mostrando su deseo de defender sus ideas, su espacio o su territorio.

Por lo general, escuchar un hecho interesante hace que se incline ligeramente la cabeza, algo que ocurre tanto en los seres humanos como entre los animales, según observaciones de Charles Darwin realizadas al principio de sus investigaciones. Se produce lo contrario cuando el tema no interesa. Puede comprobarse, por ejemplo, que cuando un tema no nos atrae, la parte superior de nuestro cuerpo permanece inmóvil, como una estatua de piedra. Y adoptamos esa misma actitud de inmovilidad cuando deseamos que alguien se vaya. Podría decirse que puede escucharse una vocecita que nos dice: «¡No te muevas! Ya verás como se va enseguida». Permanecer quieto de ese modo muestra una forma de indiferencia (sin ninguna reacción, ningún intercambio) y no de aversión, pues si alguien está harto por lo general se levanta de inmediato y se va o bien manifiesta que está hasta las narices.

El cuerpo realiza, sin que sea posible impedirlo, gestos cuando descubrimos algo interesante o cuando interviene un estímulo cerebral. Sin esos estímulos, el cuerpo permanece inmóvil, en actitud pausada, antes de hallar una incitación al movimiento. Si durante una conversación notas que tu interlocutor no se mueve, primero deberás comprobar que respira, y a continuación tendrás que cambiar radicalmente tu enfoque para conseguir que reaccione.

En los casos precedentes, este tipo de gestos por parte de nuestro interlocutor nos da pie a reconsiderar lo que estamos a punto de decir o hacer, pues indican con mucha claridad que la conversación no va a ninguna parte.

El estado pensativo

La encarnación perfecta de una persona totalmente absorta en sus pensamientos, *El pensador* de Auguste Rodin, se halla en una postura evidente de reflexión. Se puede imaginar muy bien que mientras el maestro esculpía, la persona que servía de modelo parpadeaba de vez en cuando al tiempo que miraba el suelo para intentar mantener la claridad mental.

A pesar de la evocación a esta postura, y de otras varias, muchos de los aspectos de nuestra gestualidad sólo intervienen para subrayar nuestro nivel de reflexión o de escucha y para describir nuestra implicación personal. Es entonces cuando nos damos cuenta, sin tener que pensarlo mucho, de qué significa que alguien se rasque la parte de atrás de la cabeza. Ese gesto tiene por objeto estimular inconscientemente la parte del cerebro donde se forjan las respuestas lógicas a un problema complejo o relativo a cifras.

Otro ejemplo de postura reflexiva: la persona está bien arrellanada en la silla y se lleva el índice a la mejilla, apoyando el dedo corazón en los labios, con el resto de los dedos doblados. En este gesto se reconoce la señal de una reflexión profunda y una escucha atenta. Pero también puede anunciar una atención auditiva máxima con  respecto al otro. Seguro que ya sabes cuál es o has llevado a cabo la mímica de sostener un fusil a punto de disparar: con ambos índices extendidos y las manos juntas conformamos el cañón, que a su vez se apoya sobre la boca. Este gesto expresa tanto una escucha activa como la voluntad de defender las propias opiniones y valoraciones.

En cuanto a frotarse el mentón, se trata de un gesto universal que denota duda, a menudo cuando una persona reflexiona acerca de algo importante. En este gesto, el pulgar, o el pulgar y el índice, tocan el rostro y el dedo corazón acaricia el mentón para provocar la aparición de una decisión. Quien hace esto demuestra que no sabe cómo reaccionar frente a una situación. Henry Siddons dijo: «La mano que acaricia

84

el mentón afirma que el hombre sabio está a punto de tomar una decisión».

¡Esta cita nos lleva a preguntarnos si no habrás adoptado ya esta postura respecto a las afirmaciones que se hacen en este libro! ¿Y la postura de Rodin? ¿Ya has imitado al modelo de Rodin?

Quienes llevan gafas ofrecen toda una paleta de gestos de reflexión durante un intercambio verbal. Como ejemplo podríamos tomar el del interlocutor que mordisquea la patilla de la montura de sus gafas, que lo que pretende es ganar tiempo para pensar y busca obtener más información antes de tomar una decisión.

Finalmente, entre todos los gestos de reflexión, uno de los más extendidos en el mundo es cerrar los ojos y llevarse la mano al puente de la nariz, para a continuación pellizcárselo. Este gesto revela que quien lo realiza está haciendo una evaluación rápida de una situación a fin de determinar si realmente es tan dramática como parece. Podemos observar dicho gesto en un defraudador, por ejemplo, que siente la obligación de confesar la verdad a la policía o a los inspectores. Un abogado contó que un juez siempre tenía la costumbre de pellizcarse la nariz cuando debía tomar una decisión difícil, para darse tiempo de analizar la información, a la vez que mantenía sus convicciones personales.

La desconfianza y el desamparo

A veces, a los gestos de desconfianza o de engaño se los describe como cumplidos de la mano izquierda, que hace referencia a los cumplidos dudosos o de poco fiar por parte del interlocutor. Es necesario saber que, en la gestualidad de las manos, el pulgar de la derecha que apunta hacia arriba con el resto de los dedos doblados en la palma significa ¡extraordinario!

o ¡fabuloso!, mientras que el meñique de la mano izquierda simboliza el corazón y sugiere sufrimiento y tormento. Si observas bien a una persona falta de amor o que vive el duelo de uno de sus seres queridos, constatarás que a menudo mantiene el dedo meñique izquierdo en la otra mano para evitar ser conmovida por las emociones. También está el caso de alguien que puede hablar sosteniendo el meñique izquierdo en el aire o separado de los demás dedos. Eso quiere decir que te está informando de que desea que te marches o que intenta controlar sus actos. Por todas esas razones, los valores vinculados con el lado derecho pertenecen al altruismo y la bondad, mientras que los del lado izquierdo simbolizan lo que es malo y detestable.

Aunque de palabra afirmemos lo contrario, algunos de nuestros gestos son sintomáticos de nuestro malestar y nuestro deseo de silencio, como por ejemplo cubrirse la boca con la palma de la mano abierta justo por debajo de la nariz para no expresar lo que sentimos. A este gesto le suele seguir un movimiento de cabeza de izquierda a derecha que está diciendo: «¡No, no es posible!». A veces realizamos instintivamente

dicho gesto para evitar tener que exteriorizar nuestras verdaderas emociones.

Todos los gestos de desconfianza, de incertidumbre, de rechazo o de duda están diciendo, sin posibilidad de equívoco: «¡No quiero! No quiero decírtelo!». El gesto más frecuente de retirada, que confirma dicha actitud, es cruzarse de brazos en un momento de la conversación, con los hombros de cara a una puerta para huir del intercambio verbal. En ese instante, el cuerpo de la persona que quiere marcharse conforma un ángulo de 45 grados respecto a su interlocutor, lo que no hace sino confirmar su deseo de evasión. Esta actitud podría traducirse fácilmente diciendo: «No gracias, me voy».

También demostrativo de un deseo de irse o de acabar una conversación molesta: el brazo de tu interlocutor cuelga completamente al otro lado del respaldo de su asiento. Ante una actitud así por parte de la persona con la que hablas, será difícil poder mantener su atención a menos que le hagas intervenir rápidamente en la conversación. Prolongarla sin dejarle hablar es como echar leña al fuego. ¡Más vale que dejes que se marche antes de que se queme!

Tal y como hemos visto en la sección que trataba los hemisferios cerebrales, la base de la nuca izquierda contiene la perplejidad de nuestra conciencia. Como ya sabes que cada uno de nuestros dedos índice describe el yo, cuando nuestro interlocutor se rasca la parte de atrás, desde la oreja izquierda hasta la base de la nuca, con el índice podemos extraer en consecuencia que nos 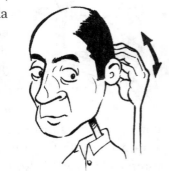 hallamos frente a un gesto de gran reflexión. Y todavía más: este gesto expresa una profunda duda y una búsqueda atenta a fin de descubrir la verdad. Si hubiera que traducirlo en palabras, obtendríamos la declaración: «La verdad es que no lo sé», o: «No estoy seguro».

4ª PARTE

*La excelencia de la mente radica en su calidad
y no en su cantidad.*

P. Combes

El lenguaje mudo del cuerpo

El lenguaje verbal suele percibirse como una forma ligera, elemental y controlada de comunicación entre individuos. Pero en realidad, las palabras dan muestra de una impotencia tal a la hora de describir algunos sentimientos, emociones, temores y alegrías que incluso a veces llegan a contradecirlos. Nos da la impresión de que en algunas circunstancias nuestros estados afectivos resultan intraducibles y que los únicos enunciados que parecen adecuados son del tipo: «¡Estoy mudo de asombro!» o: «No puedo describir lo que siento», o incluso: «Es tan bello que no puede explicarse con palabras». Todos hemos vivido ese tipo de momentos en los que no pudimos expresar nuestros sentimientos o emociones con precisión y sinceridad. En esas situaciones y en tantas otras, el lenguaje no nos ofrece garantía alguna de que las palabras serán apropiadas y sinceras.

A fin de facilitar la precisión y el rigor de los términos elegidos y, con ello, poder expresarnos de manera más clara, nuestras cuerdas vocales cambian la armonía de una frase o la entonación con que se pronuncia un vocablo. La entonación comprende el 38% de nuestros intercambios verbales, mientras que la elección de las palabras no supera el 7%, lo que hace que ambos elementos representen un 45% de nuestra expresión verbal. La comunicación no verbal, es decir, los gestos que reflejan el grado de intensidad de las emociones sentidas, proporciona vigor y un destino a las palabras.

Pero más allá de esta forma de intercambio consciente y pragmática, existe una cantidad incontable de gestos que expresan inconscientemente nuestras actitudes más disimuladas. El cuerpo produce efectivamente una enormidad de movimientos que constituyen una clase de transmisor muy sofisticado de nuestros estados interiores. Toda pulsión, emoción, sentimiento o cambio de actitud tiene su reflejo gestual, mímico o en una cierta forma de expresión corporal. Tanto si se trata de una mirada contradictoria, apacible o del gesto de tender la mano, una persona está descubriendo su verdadero estado interior en ese momento.

Toda esta gestualidad cobra vida en tres partes de nuestro organismo concretas y específicas: el rostro, la parte superior del cuerpo y la parte inferior, con el ombligo separando estas dos últimas. El cuerpo humano actúa y reacciona siempre contrayendo y relajando sus músculos, que ocupan una o varias de estas zonas.

El rostro es un espejo de nuestro estado de ánimo, intelectual y emocional, que refleja a los ojos del mundo exterior nuestras actitudes y las expresiones que engendran. Incluso cuando estamos solos, con la cara iluminada y sonriente, haciendo muecas, llorando o crispándonos ante un suceso o un simple pensamiento. Es el punto luminoso del cuerpo que se observa en primer lugar cuando se realiza un intercambio comunicativo.

Por su parte, la zona superior del cuerpo reproduce los gestos que indican nuestro estado de ánimo y nuestras actitudes, nuestra auténtica sustancia al respecto. Los gestos provenientes de esta parte circunscriben el entorno que controlamos, de manera consciente, y delimitan, de forma inconsciente, el territorio que nos pertenece. El área superior del cuerpo actúa como si sustrajese la piel y los huesos, y expusiese a la luz del día nuestro corazón, nuestros pulmones y nuestra alma sin ocultar ningún elemento de la personalidad.

Finalmente, está el papel de la parte inferior del cuerpo en nuestros intercambios: camufla, elude y oculta el entorno de lo que no controlamos. Los gestos de esta zona desvelan nuestras actitudes relativas a una situación en curso sobre la cual carecemos de todo poder o control.

Un ejemplo muy concreto: imaginemos por un instante que has ido al dentista a que te saque una muela. Una vez que estás bien sentado en el sillón, tus brazos suelen caer a cada lado del cuerpo y tus manos se agarran con fuerza a los reposabrazos. En esta postura y con la boca muy abierta, toda la zona superior del cuerpo está afirmando que quieres que te extraigan una muela y que desaparezca el dolor. La abertura de la parte superior del cuerpo demuestra que controlas la decisión con vistas a un alivio dental. Por otra parte, a partir del momento en que ves al doctor, cruzas inconscientemente las piernas a la altura de los tobillos. Este cierre de la parte inferior del cuerpo dice que no controlas los actos de tu dentista y que te hallas a la defensiva con respecto a su intervención.

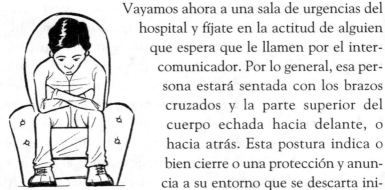

Vayamos ahora a una sala de urgencias del hospital y fíjate en la actitud de alguien que espera que le llamen por el intercomunicador. Por lo general, esa persona estará sentada con los brazos cruzados y la parte superior del cuerpo echada hacia delante, o hacia atrás. Esta postura indica o bien cierre o una protección y anuncia a su entorno que se descarta iniciar toda conversación. Además, fíjate en que tiene las plantas de los pies firmemente asentadas en el suelo, con una separación entre los pies similar a la distancia entre los hombros.

En este ejemplo, el paciente (los brazos cruzados) no controla ni la exploración ni el tipo de enfermedad o de herida, ni siquiera la manera en que todo ello afectará a su salud. Con los brazos convertidos en una armadura, emite señales de que está protegiendo sus emociones, exteriorizando a la vez su preocupación y su angustia ante lo desconocido. Por el contrario, demuestra estar abierto a las enfermeras y médicos a través de su actitud de abandono (piernas abiertas), que significa que se pone enteramente en sus manos a fin de controlar o solucionar la situación.

En esta parte y en la siguiente sólo abordaremos las zonas del cuerpo que desvelan mensajes auténticos, para no prolongar innecesariamente el libro. No obstante, se han mantenido algunos ejemplos de gestos fundamentales que pueden observarse frecuentemente a fin de que conozcas los mensajes gestuales más esenciales. Las observaciones aquí realizadas requieren que te concentres en ellos. Nuestro propósito es incidir en una síntesis de los gestos y su significado más que en el control y la elección de las palabras del sujeto observado.

La cabeza

La cabeza, ayudada magistralmente por un rostro expresivo, genera múltiples elementos de mensajes no verbales muy elocuentes. El cerebro, la frente, la coronilla, la nuca, las orejas, el mentón, la boca, la nariz y los ojos forman parte de la fisonomía de la cabeza y participan en la gran coreografía de nuestros gestos, compitiendo entre sí por descubrirnos.

Definamos estos gestos, estos tipos de coreografías, y veamos situaciones concretas antes de dedicarnos, en la parte siguiente, a la zona superior del cuerpo, que proyecta silenciosamente mensajes sobre actividades, acciones y actitudes.

El cerebro

Bajo el cráneo tenemos lo que determina todo nuestro universo: los espacios de reflexión, de conciencia y de inconsciencia. Y como ya hemos indicado, el cerebro controla la totalidad de las manifestaciones corporales, desde la respiración hasta las acciones, pasando por los gestos y las palabras. Así pues, él es el que hace actuar y reaccionar a todos los músculos del cuerpo y, en consecuencia, el que controla toda acción o reacción verbal. Se trata del ordenador más potente jamás construido, que conserva y programa nuestra educación, nuestros ficheros de información y nuestra percepción.

El cerebro se divide en tres partes distintas, cada una de las cuales posee sus propios datos, como la creatividad, la racionalidad, la imaginación, la práctica, las emociones, la lógica y todas las demás formas de mecanismos fisiológicos y estructuras de funcionamiento intelectual y corporal.

La parte izquierda del cerebro

La parte izquierda del cerebro gestiona el proceso decisorio, la lógica, la razón y la palabra. Paradójicamente, es justo en ella donde se hallan las informaciones necesarias para el desarrollo de la zona derecha del cuerpo, mientras que la parte derecha del cerebro cumple la misma función para la izquierda del cuerpo. Todo nuestro sistema de referencia práctico y realista se halla almacenado en la parte izquierda del cerebro, que hace las funciones de almacén de conocimientos.

Alguien que reflexiona o se pregunta algo orientará su mirada a uno de estos cuatro lugares significativos del mundo espacial: al aire, delante de él, a un objeto cualquiera o hacia el suelo. Cuando piensa, el ser humano desvela, a través de la dirección de su mirada, dónde se fijará para continuar su actividad de investigación y análisis. También puede cerrar los ojos para analizar y concentrarse mejor. Esta última opción da fe de una intensa concentración y de un profundo cuestionamiento interno, como en el caso de la meditación o la oración.

A partir de ahora, observar hacia dónde dirige su mirada alguien que reflexiona te dirá muchas cosas sobre esa persona. Es decir, si mira al techo por la izquierda, significa que busca un lugar donde el espacio de análisis e interpretación está en el infinito. Este espacio de reflexión representa el campo de desarrollo de su lógica, que utiliza antes de confirmar o invalidar tus opiniones.

Si tu interlocutor, por efecto de un análisis de la situación, mira más bien de frente, por delante de él, y hacia la izquierda, estará sugiriendo que se toma una pausa para hacerse una idea justa de la información, mientras escucha atentamente tus propuestas.

Por otra parte, si lanza su mirada hacia la izquierda, hacia una mesa o un objeto más bajo que la altura de su mirada, te estará confirmando que la información que le ofreces es concreta y palpable. Está más bien tratando de imaginar una manera de aplicarla en lugar de discutirla.

Finalmente, en una conversación, el hecho de que tu interlocutor fije su mirada en el suelo, hacia la izquierda, demuestra que la información recibida es buena y verdadera, y que ya la conocía. El suelo representa un nivel de certeza que no admite equívocos y señala que no son necesarios ninguna interpretación ni análisis ulteriores.

¿Te has fijado en que cada vez que buscas en tu zona ilimitada de percepción, estás mirando al espacio vacío, pero que cuando buscas una respuesta lógica y concreta, miras al techo?

Éstas son las afirmaciones gestuales dominadas por la parte izquierda del cerebro. ¿Pasamos a comprobar cómo se refleja todo esto en situaciones concretas?

Estás tratando con un agente de viajes acerca de dos semanas de vacaciones, con todos los gastos incluidos en un hotel de cinco estrellas. Tú afirmas que prefieres ir junto al mar, a Ixtapa, en México. El agente te confirma la disponibilidad de vuelos y un hotel, pero cuando anuncia esas posibilidades, tú empiezas a mirar sutilmente el techo hacia tu izquierda. Ese gesto muestra que estás haciendo una proyección lógica de unas deseadas vacaciones en la playa. Pero no tardas en volver a dirigirte al agente, haciéndole diversas preguntas, como: «¿Es un hotel muy grande?». Una pregunta así indica exactamente cuándo desconectaste mientras hablaba el agente, y confirma que tu reflexión fue lógica y precisa.

Puedes estar seguro de que –en el transcurso de una conversación– cuando alguien no te está mirando a los ojos significa que está pensando. Como interlocutor, es tu deber comprobar su percepción y lógica, en lugar de continuar la conversación en dirección equivocada. De este modo ahorrarás tiempo y evitarás frustraciones potenciales. Esta comprobación previa impedirá que te pongas en situaciones en las que podrías decir: «Pero bueno, si creía que lo habías entendido», o: «¿Por qué me haces todas esas preguntas ahora? Pensaba que había quedado todo claro».

A continuación, imaginemos que te encuentras en una situación en la que un representante te hace una oferta final sobre el coche que tanto deseas. Seguro que durante algunos instantes fijas la mirada en la mesa, hacia tu izquierda, mientras el vendedor continúa intentando convencerte de lo acertado del precio. También puede que te acaricies la barbilla con el pulgar y el índice. La mirada depositada sobre la mesa revelará que estás llevando a cabo una reflexión racional y un análisis sólido de su proposición, antes de rechazar o aceptar la oferta.

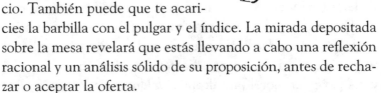

Por el contrario, en toda situación en la que se posa la mirada en el suelo hacia la izquierda, la persona está expresando que ya conocía esas informaciones y que intenta huir de

la realidad y de sus consecuencias. Ante este tipo de mirada fija diríamos que la persona en cuestión demuestra la misma actitud que cuando te pillaron de pequeño, con uno de tus padres delante de ti, con las manos sobre las caderas, a punto de preguntarte: «¿Se ha caído el jarrón solo o es que has tocado la mesa?». Para evitar la mirada de tu padre o madre, respondiste con los ojos pegados al suelo: «¡Se ha caído solo!». Ése es el mecanismo cuando se quiere evitar tener que hacer frente a la verdad y cuando uno pretende protegerse de ello. Tal y como se dice: «A veces la verdad se encuentra ante tus narices. ¡Es inútil buscarla más lejos!».

Una vez tratado el significado de la dirección de las miradas, veamos qué ocurre, en una situación de intercambio, cuando una persona que escucha atentamente a su interlocutor se masajea la zona izquierda del cráneo con la punta de los dedos. Este tipo de gesto está pidiendo que la lógica se haga cargo de toda la información racional que pudiera resultarnos de utilidad. Recordemos que en el colegio solíamos hacerlo cuando teníamos un examen y buscábamos una respuesta. ¿Verdad que no había ni uno de nosotros que no se rascase la parte izquierda del cráneo varias veces a lo largo del examen, como para desenterrar la respuesta hundida en ese lugar? Ya ves, el gesto simboliza una ruptura simbólica de ese lado del cerebro a fin de liberar la información desaparecida de nuestra memoria. ¡Eso es romperse la cabeza!

Quien se sienta cansado o estresado se friccionará la sien izquierda mediante un gesto circular o de abajo arriba a fin de hallar una justificación lógica.

La reflexión profunda también suscita otro gesto bastante común: frotarse con ayuda de la palma de la mano izquierda. Se inicia en medio de la frente para a continuación dejar resbalar la palma de la mano siguiendo el contorno del cráneo hasta detrás de la oreja izquierda. A veces se detiene en la nuca mediante una ligera rascadura en la base del cráneo. Este gesto suave puede percibirse como un grito del corazón dirigido a todos los componentes de la zona izquierda del cerebro: «Prestad atención, necesito ayuda. ¿Podéis darme una respuesta? ¡Socorro!».

Finalmente, en el caso de toda actividad que requiere de pensamiento intelectual, como la lectura, solemos ver a la persona apoyar el codo en el escritorio, descansando la parte izquierda del cráneo en la palma de la mano. Esta postura testimonia un cierto nivel de dificultad para comprender el contenido, aunque el tema sea la mar de lógico. También puede querer decir que la lógica del discurso resulta demasiado pesada e insoportable, como si esa persona debiera comprender la teoría de la relatividad de Einstein. En este caso concreto, el gesto confirma el disgusto o la desestabilización de la lógica del individuo frente al tema en cuestión.

La parte derecha del cerebro

Por su parte, la zona derecha del cerebro acciona la creatividad, las imágenes, los sueños, las emociones y los sentimientos. Es la dueña y señora de las intuiciones, de los sentidos espaciales y las ilusiones.

Volvamos al hipotético viaje que te gustaría hacer a México y cambiemos los datos: a pesar de tus preferencias, el agente te sugiere otro lugar distinto de Ixtapa. Mientras te expone su punto de vista, puedes estar seguro de que dirigirás tu mirada hacia el techo, a la derecha. En ese instante ya te estás imaginando la decepción de tu cónyuge. Acababas de verte con los pies hundidos en la arena de Ixtapa, y te estás proyectando en el tiempo para saber si no harías mejor en acudir a otra agencia de viajes.

No importa mucho el lado hacia el que se mire, pero cuando una persona enfoca la mirada por encima de la altura de sus ojos durante un intercambio de información, ante todo busca un espacio ilimitado para reflexionar. Pero si reflexiona mirando hacia la derecha, eso implica que intenta utilizar la imaginación, inventándose su propia realidad. Por eso a veces veremos que cuando no 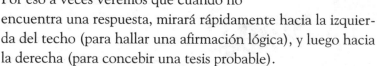 encuentra una respuesta, mirará rápidamente hacia la izquierda del techo (para hallar una afirmación lógica), y luego hacia la derecha (para concebir una tesis probable).

Si la búsqueda de quien mira hacia la derecha del techo da frutos, y halla en su imaginación una o dos situaciones similares que constituyan realidades plausibles, llevará rápidamente

su mirada hacia la izquierda. Sacudirá la cabeza para decir sí o bien compondrá una sonrisa para mostrar que halló una solución. Tanto si encuentra su respuesta en la parte derecha como en la izquierda del cerebro, el individuo adoptará una expresión visual que confirme o afirme su descubrimiento.

Con toda seguridad, la dirección de la mirada hacia arriba indica qué parte del cerebro de una persona está analizando, interpretando y concluyendo. Un consejo: desconfía de quien te esté escuchando y mire hacia la derecha, sin regresar a su cerebro izquierdo. Si, de repente, esa persona afirma estar de acuerdo con lo que estás diciendo y que sabe perfectamente lo que le estás contando, en general puedes estar seguro de que miente. Sus ojos la traicionarán y confirmarán precisamente lo contrario. Sólo se muestra de acuerdo contigo únicamente en razón de una comprensión ficticia y no a causa de una comprensión lógica.

Volvamos al ejemplo del vendedor de coches. Si pones en cuestión la oferta porque te parece demasiado cara, dirigirás una mirada furtiva al techo, a la derecha. Ese gesto dará a entender que adoptas una reflexión creativa. Durante un instante te estarás imaginando al volante de ese coche, confesándote a ti mismo que no tienes ni idea de cómo podrás pagar los plazos. O bien intentarás hallar una idea creativa para discutir el precio y buscar una rebaja, o incluso para convencer a tu banco de que te conceda un préstamo. Pero esta postura de mirar hacia la derecha también sugiere que la persona, aunque busca una solución, pospondrá su decisión, falta de desarrollo lógico o argumento.

La frente

Al hallarse justo por delante del cráneo, la frente es como la ventana de tu zona de toma de decisiones, de discernimiento y de conclusión. Esta parte del cuerpo protege el espacio craneal donde se halla el centro neurálgico de la concentración intelectual.

¿Te has fijado en alguna ocasión en alguien que muestre una actividad intensa? Te habrás dado cuenta de que cambia la actitud, la expresión del rostro y la postura. No hay duda de que, en el instante en que una persona entra en ella misma para tomar una decisión o reflexionar, se llevará automáticamente la mano o la punta de los dedos a la frente.

De manera espontánea y antes de que acuda una decisión a la zona frontal, la situación o la pregunta que nos preocupa habrá sido analizada por uno o ambos lados del cerebro, es decir, desde una óptica práctica y otra creativa, que parecen hallarse en una interacción continua. El siguiente dicho parece muy apropiado para este ritual de actividad: «Hay que 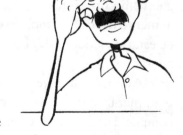 mirar las dos caras de la moneda antes de tomar una decisión».

Al observar a alguien que reflexiona profundamente, nos damos cuenta de que tiene la cabeza reclinada en ambas manos, que a su vez están apoyadas en medio de la frente. Cuando deja de pensar, separa ambas manos, y cada una regresa a su lado, para hallar una afirmación concreta. Es como si la persona quisiera estirar su capacidad de juicio y decisión hacia ambas partes del cerebro gritando: «¡Decide! Y ahora ¿qué hago?».

No obstante, el hecho de tocarse la frente denota una función de análisis y comprensión o bien que está a punto de tomar una decisión. Cuando nos tocamos esta parte frontal de la cabeza con un dedo, con varios o con la mano, estamos demostrando una cierta toma de conciencia para efectuar una actividad.

Pero la frente también actúa concertadamente con los ojos: solemos fruncir la primera hacia arriba para abrir mucho los segundos, un gesto que, la mayoría de las veces, implica asombro. Abrir los ojos de manera exagerada tiene por objeto dejar penetrar nuestra percepción de la verdad y asegurarnos de que no nos dejamos nada.

Por otra parte, quien se masajea una o ambas sienes está deseando hacer descender su nivel de estrés y tensión. Este gesto demuestra que necesita relajarse o relajar la materia gris.

Abrir los ojos exageradamente hace que la frente se pliegue como un acordeón, posible reflejo de confusión y de un aumento del pesimismo. De esta manera, la parte frontal parece estar diciendo: «¡Lo he comprendido todo, pero no sé qué pensar!».

Aunque, en el gesto anterior, la frente se une a los ojos para manifestar un estado de ánimo, también cuenta con la complicidad de manos y dedos. Las manos operan junto con la frente para confirmar una toma de postura o una reflexión: utilizan, recorren, tocan, acarician y apuntan a la frente, y su relación incluso puede llegar a ser muy íntima.

Una vez tenemos esa relación clara, regresemos un instante al vendedor de coches que te pregunta: «Antes de que le haga un precio, ¿hay otras opciones o exigencias de las que quisiera hablar? ¿Ha pensado en el color?». Y tú contestas: «¡Desde luego! Negro». El vendedor te mira desolado y te asegura que precisamente ese modelo no está en negro. Justo en ese momento veríamos que te rascas la frente con los dedos índice y corazón. Además de confirmar tu decepción, ese gesto demuestra tu concentración para tratar de elegir otro color.

Sabiendo también que el lado izquierdo del cerebro esconde la lógica y que el derecho hace lo propio con la creatividad, ¿resulta sorprendente constatar que una persona sentada ante su ordenador «colgado», totalmente perpleja, incline la cabeza y, con las manos se masajee ambas zonas del cerebro? Está manifestando su esperanza y su deseo de provocar una chispa que venga en su ayuda. Si alguien se inclinase por encima de su hombro para sugerirle cómo salir del marasmo, podríamos ver que se daría inmediatamente un enérgico golpe en la frente a modo de confirmación. Si expresase ese gesto en palabras, diría: «¡Claro, claro! ¡Con lo fácil que era!». Esa acción no es fruto del azar, pues en ese tipo de situación nunca nos damos un golpe en la nariz o en los tímpanos, ni en ninguna otra parte del cuerpo. Eso confirma perfectamente que la parte frontal es la zona de toma de decisiones.

La persona que convierte su mano en una visera sobre la frente con el pulgar apoyado en la mejilla demuestra que se halla totalmente sumergida en sus pensamientos. Si dicha persona te habla conservando esa postura, existen muchas posibilidades de que sus palabras te resulten poco convincentes. Ten en cuenta que también puede traducirse como una mentira. ¡Mantente atento al resto de los gestos que haga a continuación!

Alguien que apoye la frente en la palma de la mano mientras sus dedos señalan al aire y la cabeza está inclinada hacia delante transmite una señal de desánimo y tristeza.

Por mi parte, mientras escribía este libro, me solía sorprender en una postura muy elocuente: con el codo apoyado en el escritorio, la cabeza ligeramente inclinada hacia la izquierda con el índice y el dedo corazón en la frente. Con la complicidad del pulgar pegado al pómulo, contaba así con un apoyo excelente para la cabeza. Pero con esta postura estaba diciendo que debía realizar elecciones, actuar y progresar en mis pensamientos. La adoptaba inconscientemente para obligarme a seguir escribiendo, escribiendo, escribiendo.

La coronilla

De entrada debes saber que, igual que las diferentes partes del cerebro o de la cabeza que ya hemos tratado, la coronilla, o parte superior de nuestra cabeza, también desempeña un papel a la hora de adoptar gestos. Esta zona situada hacia la parte de atrás de la cabeza, pero en lo alto, es el punto central de nuestra facultad para hacer malabarismos con las cifras, para calcular y realizar evaluaciones numéricas. En pocas palabras, se trata de nuestra facultad matemática. Por eso no resulta extraño, desde una perspectiva de lenguaje corporal, ver a alguien que calcula y que se está rascando esa parte del cráneo. Esta tendencia espontánea no es fruto de una picazón fortuita, ¡sino más bien de una voluntad de ejercitar esa zona! Por otra parte, ese gesto es muy común entre los contables y otras personas que trabajan con cifras o en cualquier otra forma de logística numérica. En el colegio, con motivo de un examen de matemáticas, las manos de los alumnos acuden sin cesar a la coronilla, hasta tal punto que parece que asistamos a una sinfonía de gestos.

Además de estimular la capacidad matemática, el hecho de rascarse o masajearse la coronilla puede exteriorizar una cierta incomprensión del cálculo o del método de evaluación presentado. Si ésa es la situación, lo conveniente es precisar verbalmente el cálculo o la evaluación. En el contexto de la compra de un vehículo, por ejemplo, las palabras que acompañarían al cálculo podrían ser: «Con un anticipo razonable, el precio resulta muy competitivo, pues es un 5% inferior al del mercado y conlleva una amortización del capital del 7,5% durante un período de cuatro años». Si el interlocutor sigue manifestando un gesto que denota incomprensión y parece considerar las cifras un tanto perplejo, conviene volver a la carga verbalmente diciendo, por ejemplo: «Con mil dólares de depósito, el precio es más barato que cualquier cosa que venda la competencia. Le sugiero que realice los pagos en un período de cuatro años».

Otro gesto que observamos con cierta frecuencia pero que denota una realidad totalmente distinta: cogerse un mechón de cabello de la coronilla entre el índice y el pulgar, y enrollarlo en el índice. Quien lo realiza puede aparentar una actitud ensoñadora o falta de  concentración. Pero este gesto indica que la persona suele dar vueltas alrededor del mismo fantasma real o irreal. Sin embargo, puede que no sea más que una costumbre del individuo en cuestión, que de todas maneras, y a través de este gesto, manifiesta la aparición de una idea que no encaja en su esquema.

La nuca

La parte superior trasera del cuello, o la base trasera del cráneo, sostiene la caja craneal con las siete últimas vértebras cervicales, constituyendo el símbolo de la confianza en uno mismo. Pero esta zona suele activarse en caso de cansancio repentino o de perplejidad respecto a una situación que parece no tener salida. En suma, la postura de nuestro cuello pasa por este mecanismo de eje o pivote y no puede dejarse de lado en ningún estudio de lenguaje no verbal que se precie. Una vez sabemos que la nuca es un elemento postural particular, no nos sorprenderemos la próxima vez que veamos a alguien sentado con las manos unidas por detrás de la cabeza. Al ver esta postura, que recuerda a un pájaro a punto de echarse a volar, podemos estar seguros de estar tratando con alguien con un cierto nivel de relajación. Este gesto es el signo típico del refugio temporal antes de regresar a un nivel de interés o atención más intenso, a menos que nos esté indicando simplemente que la persona está cansada, y que lo utiliza para apoyar la cabeza y descansar.

Quien adopta ese gesto con un solo brazo y una sola mano estaría intentando huir de la realidad. Es por otra parte muy común entre los que pasan mucho tiempo hablando de negocios, y su origen sería una conversación o una situación tensa. En el momento en que la persona se acaricia la nuca, está manifestando su retirada. Este movimiento serviría de masaje para quien lo adopta, con el objeto evidente de relajarse. También podríamos suponer que dicha retirada se apoyaría en algo parecido a: «Realmente no lo sé». Este gesto reflejaría una flagrante falta de implicación personal y un cambio de actitud radical. En presencia de un interlocutor que adopte esos gestos, es conveniente reformular el propio discurso o cambiar la orientación de la intervención que se está realizando para implicarle menos o para permitirle que aclare su postura.

No obstante, habría que desconfiar de alguien que cruza los dedos sobre la nuca con los codos separados como un águila y la mirada dirigida hacia el techo (espacio ilimitado de decisión): el gesto anuncia que es inminente la toma de una decisión o el inicio de una acción. Por eso vale la pena que inviertas tu tiempo en convencerle, porque una vez se decida no habrá vuelta atrás. Por eso, si no quieres perder el tiempo, debes intervenir cuando el interlocutor está todavía en las nubes, pues una vez que inicie el descenso, se acabaron tus oportunidades.

Las orejas

Las orejas no desempeñan un papel de figurantes en la estructura de la comunicación humana. En realidad son omnipresentes y capitales, pues enmarcan el rostro para recibir y descodificar los sonidos. Esta manera de estar en contacto con el mundo se denomina oído, y es uno de nuestros sentidos más importantes. Pero más allá de esta función, las orejas, por mediación del vestíbulo, rigen nuestro equilibro y obligan al cuerpo, dependiendo de la naturaleza del sonido y de la información transmitida, a tomar una cierta postura, como haría una antena parabólica. Aunque algunos de nosotros tengamos cabellos o joyas que las camuflen por completo o en parte, las orejas no se molestan por ello y continúan desempeñando un papel muy preciso en el lenguaje corporal. De todos modos, alguien que desee comprender o captar más información acostumbrará a avanzar la cabeza, ladeándola ligeramente para alinear la oreja con lo que escucha. Incluso a veces puede llegar a poner la mano totalmente abierta por detrás de ella a fin de maximizar la recepción de sonidos y no perderse nada del mensaje.

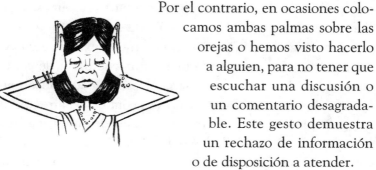

Por el contrario, en ocasiones colocamos ambas palmas sobre las orejas o hemos visto hacerlo a alguien, para no tener que escuchar una discusión o un comentario desagradable. Este gesto demuestra un rechazo de información o de disposición a atender.

Quien se rasque la parte superior del pabellón auditivo estaría manifestando que lo que acaba de escuchar perturba su realidad. La parte superior de la oreja, que es la cumbre piramidal de nuestro oído, rebosa de ideas y conceptos, mientras que el lóbulo, que constituye el otro extremo, es hogar de nuestros valores tangibles y concretos, lo cual no es ajeno al hecho de que una persona que reflexione se toque por lo general la parte superior antes de contestar, de manera que advierte a su interlocutor, sin saberlo, que la cuestión le obliga a pensárselo y que no le resulta fácil ofrecer una respuesta.

En una situación problemática en la que alguien busque una manera fácil de escabullirse de una situación, se rascará vigorosamente la parte de atrás de la oreja derecha o izquierda. Lo que determinará cuál de ellas será sometida a este tratamiento es la manera en que intentará escabullirse: si pretende hacerlo de manera lógica lo hará con la izquierda; si se esfuerza por hallar una manera creativa, se frotará la oreja derecha.

No obstante, no hay que confiar (¡o bien hay que alegrarse, según!) en alguien que se tire del lóbulo de la oreja: es muy probable que nos esté proponiendo una aventura sexual. ¿No te fías de las orejas?

Ya hablando más en serio, y en un contexto de escucha atenta, esta parte del cuerpo también puede hacer de cartel señalizador. Así, cuando alguien coloca el dedo corazón en línea horizontal por delante de la boca como una barrera, con el pulgar sobre el mentón como apoyo, puede observarse que el índice que discurre a lo largo de la mejilla señala en dirección a la oreja, como para mostrar el buen camino hacia el cartel señalizador. La dirección del índice confirma que la información escuchada discurre por buen camino. Esta postura anima al receptor del mensaje a permanecer en silencio e incita al oído a estar alerta y a captar el máximo posible de información.

El mentón

En un principio, no es precisamente el mentón el que nos viene a la memoria cuando pensamos en gestualidad, pero lo cierto es que éste cuenta con una sorprendente variedad de gestos. El más célebre y clásico sigue siendo el de *El pensador*, de Rodin. Coloca su mentón sobre la mano medio cerrada y señalando hacia la garganta, mientras el codo permanece apoyado en la rodilla, lo que refleja una intensa actitud de fuerza mental. A pesar de ello y a pesar de que manifiesta un cierto nivel de escucha, esta postura revela una persona escéptica y perpleja; también puede indicar una forma de escucha teñida de estrés o de angustia. El puño cerrado muestra a su vez un cierre mental frente a la posibilidad de escuchar, que no se deberá con toda seguridad a un discurso interminable, por ejemplo, del interlocutor. Esta postura no impide la expresión de las verdaderas intenciones del pensador, pero da fe de una cierta reserva y civismo. ¡Pero también puede tratarse simplemente de que el individuo así postrado esté perplejo y no tenga ni idea de dónde está su ropa!

En lenguaje gestual se sabe que las manos arrogantes, supersticiosas, desconfiadas o inquietas encuentran un buen acomodo en el mentón. No obstante, éste puede apañárselas solo: metido hacia dentro puede ser una señal de hostilidad, de contrariedad o de cólera reprimida. También por sí mismo, pero en esta ocasión levantado, manifiesta hipocresía, enfrentamiento y esnobismo. Normalmente utiliza esta última postura para transmitir mensajes por sí mismo, sin apoyo de otros miembros.

Así pues, cada vez que le dirijas la palabra a alguien que levante el mentón, puedes estar seguro de que no aprecia ninguna de tus intervenciones ni tu ayuda intelectual. Este gesto espontáneo expresa claramente que la persona en cuestión desea ignorar tu presencia. ¡Casi nada!

Acompañado de la mano, cambia por completo de significado gestual. El mentón acariciado en su centro por el pulgar no quiere decir que el interlocutor alimente dudas respecto a ti. Por el contrario, te está considerando un digno adversario, y está estudiando tus debilidades y reflexionando acerca de una manera de contraatacar. Su silencio momentáneo demuestra su intención de desestabilizarte antes de contestar. Por tanto, sería preferible que cambiases el tono de tu discurso a fin de evitar el enfrentamiento.

Por otra parte, la persona que levanta la cabeza mientras se acaricia la parte inferior del mentón es pensativa e indecisa. Espera el momento preciso en tu discurso para defenderse.

Si, por el contrario, uno de sus pulgares toca una mejilla y los otros cuatro dedos de la mano frotan la mejilla contraria, significará que esa persona cree haber planificado una artimaña perfecta o que anticipa vencer en la situación. No sólo es el gesto típico del avaro, sino también de todos los mentirosos y timadores.

El mentón no es únicamente objeto de la gestualidad de personas deshonestas de todo plumaje. ¡El soñador también reivindica su parte del mentón!

Con la yema de los dedos acariciará una sección restringida de la parte inferior de esta zona para afirmar que está evaluando sus opciones de triunfar en su proyecto o de convencer a su interlocutor.

Por último, la mano totalmente abierta que reposa sobre la mejilla puede sostener el mentón por medio de la palma. Es posible que este gesto evoque fatiga, interés o incluso tedio. En otro contexto puede que no sea más que una astucia para conseguir que la persona amada apoye la mejilla en el hombro. No obstante, si el mentón descansa en ambas palmas a la vez, se puede extraer la conclusión de que esa persona siente un desinterés total en seguir escuchándote, que le está resultando un suplicio. Sin esta postura que sirve de pilar, la cabeza no podría inclinarse hacia delante para adoptar una actitud de escucha más que tras una buena siesta.

La boca

Aparte de las funciones relacionadas con la alimentación, apagar la sed, el lenguaje y los besos, la boca también desempeña el papel de símbolo visual a causa de sus numerosas expresiones. Como tal, forma parte del rostro, que ofrece muchas informaciones personales. También es la que más se distingue por su morfología, pues siempre está armonizada con el resto de la cara, sea cual fuere la situación.

Puede llegar a desvelar mensajes no verbales (como en una confesión pública), relacionados con las emociones y con actitudes, y opera al unísono con otras zonas del rostro: los labios inferior y superior, los dientes y la lengua.

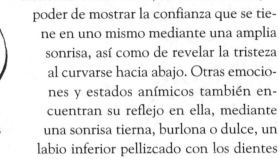

Así pues, la boca puede ser escenario de emociones diversas. Posee, entre otras cosas, el poder de mostrar la confianza que se tiene en uno mismo mediante una amplia sonrisa, así como de revelar la tristeza al curvarse hacia abajo. Otras emociones y estados anímicos también encuentran su reflejo en ella, mediante una sonrisa tierna, burlona o dulce, un labio inferior pellizcado con los dientes superiores o una boca entreabierta.

Además de desvelar la confianza en uno mismo que se pueda tener, la boca también revela su escasez. Efectivamente, hay estudios que indican que cuanto más aumenta el nivel de autoconfianza, más grande es la frecuencia de los movimientos de la boca, pues se trata de una libertad de expresión que permite exponer las propias capacidades. Los labios rígidos en el rostro traicionan más bien una falta de seguridad.

Podemos desenmascarar la oposición de nuestro interlocutor frente a nuestras propuestas, si éste coloca su índice en posición vertical delante de los labios, con el resto de los dedos plegados en medio de la boca. Por el contrario, cuando no quiera interrumpirnos, esta persona empezará a dar golpecitos con el dedo índice sobre los labios, en señal de impaciencia,

a la espera de poder tomar la palabra y exponer su punto de vista con energía.

La boca, con ayuda de la mano, también puede desvelar la falta de confianza de una manera: los cuatro dedos que la ocultan, con el pulgar sobre el pómulo. Esta mano por delante de la boca hace de barrera imaginaria, mostrando que existen dudas entre el emisor y el receptor. Por ello es preferible expresar las emociones y los sentimientos.

La persona que coloque su índice en forma de ganchillo por delante de la boca, con el resto de los dedos plegados, estaría dando a entender que analiza el discurso antes de pronunciarse. Esta postura de reflexión no impide que el intercambio tenga lugar, pero quien lo emite se reserva la palabra final.

Como los músculos de la mandíbula se relajan frente a lo desconocido y ese gesto va por lo general acompañado de unos ojos muy abiertos, como para comprender mejor la situación del momento, la persona que escucha a su interlocutor con la boca entreabierta está absorbiendo sus palabras, sea a causa de la sorpresa o del interés, o simplemente por curiosidad.

Charles Darwin señaló, por otra parte, que el gesto de sorpresa más visible y elocuente es el de ponerse rápidamente la mano por delante de la boca. Al realizarlo, se está diciendo que estamos sorprendidos por nuestro interlocutor o que incluso nos han asombrado sus palabras.

El gesto que utiliza la mano y la boca también puede estar demostrando una cierta contención, como cuando una persona apoya el codo en la mesa reposando el mentón en la palma de la mano con los dedos por delante de los labios. Quien realiza

inconscientemente este gesto protege su información, pero permite que el individuo que habla le comunique sus propias convicciones. Si te hallas en presencia de alguien que oculta así su boca, es conveniente que le dejes expresarse; si no, su estrés aumentará de manera vertiginosa a medida que tu discurso avance. Pero cuidado: en algunos contextos, es posible que este gesto sólo forme parte de una postura cuyo propósito sea facilitar la relajación para poder escuchar mejor. Puede observarse con cierta frecuencia en las sesiones de formación, donde los participantes escuchan atentamente las informaciones vertidas por el instructor sin osar interrumpirle.

Otra postura de disimulo es ésa en la que la persona apoya ambos codos en la mesa y las dos manos, con los dedos entrecruzados, por delante de la boca, como si formase una pirámide. Este gesto provoca dudas acerca de que el emisor esté ocultando información. La conversación que conlleva esta gestualidad se convierte en el juego del gato y el ratón

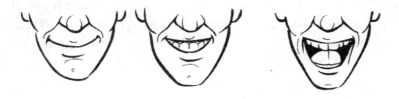

hasta que uno de los dos actores muestra sus cartas. Como suele decirse, quien ríe el último ríe mejor.

La boca, acompañada de los dientes, es una formidable transmisora de mensajes con la intermediación de la sonrisa. Sería más correcto hablar de sonrisas, pues éstas se declinan de nueve maneras distintas, tres de ellas universales, según un equipo de investigadores británicos dirigidos por Christopher Brannigan y David Humphries: la sonrisa sencilla, que no muestra los dientes; la de foto, que deja entrever los incisivos, y la amplia, que suele acabar en carcajada, en la que se ven los incisivos superiores y a veces los inferiores. La sonrisa sencilla es la que uno se hace a sí mismo o para finalizar una conversación. La de foto es la de la bienvenida o acogida. No obstante, según del doctor Ewan Grant, de la Universidad de Birmingham, hay que desconfiar de la sonrisa amplia, que no es más que un automatismo de cortesía. Si la persona tiene fama de no ser franca, podría incluso traducir una forma de desprecio por el otro. Más inofensiva, la sonrisa que se compone pellizcando el labio inferior entre los dientes denota cierta timidez.

Finalmente, los labios suelen alojar bolígrafos, lápices, una uña u otros objetos con motivo de reuniones o encuentros más o menos formales, lo que no deja de tener un significado en el universo de la gestualidad. Un gesto de ese tipo expresa preocupación, angustia, miedo o ansiedad, incluso si lo hace alguien que parece estar escuchando. La punta del meñique entre los dientes en una de las comisuras de la boca es, por su parte, el mensajero que alude a una cierta forma de anticipación positiva o esperanza con respecto a un suceso que se está desarrollando.

La nariz

Si crees que la forma de la nariz, su grosor y su anchura son los motivos por los que tiene tanto protagonismo en nuestra gestualidad, ¡desengáñate! Es más bien a causa de su posición central. Nuestras manos suelen vagar entre los ojos y la boca para ampliar el significado de los gestos: en razón de su posicionamiento estratégico, la nariz suele interactuar con los dedos que explotan esta zona primaria, que oculta el talento y las capacidades de un individuo. También a causa de su posición tan visible en el centro del rostro resulta bastante imposible ocultar un gesto en el que participe y, por otra parte, es fácil desentrañar la información que transmite.

La nariz cuenta con la suficiente información como para que sea conveniente tenerla en cuenta y conocer el significado del mensaje gestual que contribuye a emitir. Ten por seguro que al observarla con atención, quizá dudes más de los propósitos de la persona con la que hables, pero a cambio sabrás antes a qué atenerte.

Alguien que se toca la punta de la nariz con la base del dedo índice debería ponerte en guardia, pues está confirmando que se apresta a mentirte. Este gesto señala, pues, una cierta dificultad para decir la verdad.

Este epifenómeno se denomina efecto Pinocho, el personaje de madera al que le crece la nariz cuando deforma la verdad. Cuando es el ser humano el que falsea la verdad parece tratar de pulirse la nariz para evitar que crezca.

Un psiquiatra de Illinois observó este epifenómeno en Bill Clinton, entonces presidente de Estados Unidos, cuando prestó declaración en el proceso del «Monica Gate», la famosa historia de seducción y puros, cribando todos sus gestos y movimientos. En el curso de su comparecencia, el antiguo presidente se había tocado la nariz 0,26 veces por minuto. Eso es algo que puede explicarse a través del hecho de que, cuando una persona miente, los tejidos eréctiles de la nariz se obstruyen, provocando una especie de comezón. Así pues, cuando le pidas la opinión a alguien y esta persona se pellizque la nariz antes de responder, es muy posible que intente mentirte y que te ofrezca información falsa.

El índice que hurga en la nariz da muestras en ese individuo de un desprecio total por las reglas. También demuestra impaciencia o falta de perseverancia frente a la situación o de cara al interlocutor.

Gesto menos impertinente, pero que también hay que tener muy en cuenta: alguien que te está escuchando y se coloca el pulgar bajo el mentón y se rasca la punta de la nariz con el dedo índice, está dispuesto a pelearse para defender su punto de vista. Toma la información que está escuchando como un ataque personal. Sabiendo que la

nariz es el símbolo del saber hacer, podríamos concluir que dicha persona está de alguna manera imitando al boxeador que espera el momento propicio para tumbarte. Cuando identifiques un gesto así sería conveniente que retrocedieses de inmediato o que te posicionases de otro modo. En una situación tal valdría la pena permitir que el adversario tomase la palabra lo antes posible, pues si no lo haces te hallarás repentinamente en un cuadrilátero de boxeo. A fin de evitar todo enfrentamiento, la solución radicaría en reformular tu intervención y solicitar la participación del otro.

En un contexto más complejo, una persona con los ojos abiertos podría pellizcarse la raíz de la nariz, entre el pulgar y el índice, para indicar de manera silenciosa que intenta hacer el vacío. Este mismo gesto, realizado con los ojos cerrados, podría indicar dolor de cabeza o un cierto desconcierto frente a una situación dada. Por lo general, las palabras que lo acompañarían serían del tipo: «¿En serio? ¡No me lo puedo creer!», o incluso: «Y ahora ¿qué puedo hacer?».

El mismo gesto, pero a la altura de las fosas nasales, tendría otro significado. Así es, la persona que, en tu presencia, se pellizque las fosas nasales entre el pulgar y el índice está evitando, de forma imaginaria, respirar el mal olor de la conversación o de la transacción. De esta manera te estará transmitiendo el mensaje de que valdría la pena que cambiases de estrategia, pues la que empleas es bastante mala, lo que conducirá a que te comunique que su punto de vista es irrevocable.

Este gesto suele realizarse cerrando los ojos, como si dicha persona desease visualizar qué clase de trastada o de desgracia estás a punto de montarle.

Si, por otra parte, alguien se frota la línea de la nariz de arriba abajo con el interior del índice de la mano, está manifestando antipatía o disgusto puro y simple. En general, tener uno o todos los dedos de la mano opuesta sobre la nariz muestra que mantenemos opiniones contrarias a las del interlocutor y que sin duda haremos caso a nuestro propio juicio.

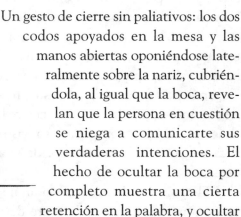

Un gesto de cierre sin paliativos: los dos codos apoyados en la mesa y las manos abiertas oponiéndose lateralmente sobre la nariz, cubriéndola, al igual que la boca, revelan que la persona en cuestión se niega a comunicarte sus verdaderas intenciones. El hecho de ocultar la boca por completo muestra una cierta retención en la palabra, y ocultar la nariz, un rechazo a sentir al interlocutor. Este gesto es, entre otras cosas, patrimonio de personas que son interrogadas por la policía.

Los ojos

En este libro ya hemos dicho antes que los estados de ánimo, las emociones y los sentimientos de una persona son traducidos por las actitudes que, a su vez, aparecen reveladas a través de innumerables gestos. Estos últimos traicionarían las palabras o bien confirmarían su sentido. No puede hallarse un mejor portavoz de los gestos que la mirada. Literal y universalmente es el espejo del alma y de la mente humana. Todo individuo pone al descubierto su estado de ánimo a través de los ojos. Y todavía más, en el lenguaje no verbal hay un hecho constatado: el ojo no es un órgano ordinario, pues está en contacto con la vida y proyecta en imágenes las intenciones, percepciones y reacciones mucho antes de que éstas sean expresadas en palabras.

Como los ojos, a través de la mirada, cambian de atmósfera y de contenido, y como entran en contacto con una gran cantidad de parámetros externos, influyen en las actitudes y los comportamientos en función de la transmisión de estos datos al cerebro. Las imágenes, así comunicadas a éste, adoptan una forma de equilibrio reactivo a fin de dictar por adelantado al cuerpo una manera de actuar o de reaccionar. Dependiendo de las personas, este proceso se denomina reflejo, automatismo de acción o reacción. La impregnación de las imágenes precede siempre a los registros de percepción y de acciones halladas en el interior de una de las dos partes del cerebro.

El ojo izquierdo desempeña un importante papel en este proceso porque controla la parte derecha del cerebro, que interpreta las imágenes tridimensionales del mundo exterior. Este ojo afirma además la necesidad de protección o de defensa del territorio, como el soldado que observa a través de la mira de su carabina para proteger su territorio o una situación indeseable. Para indicar, tras haberse asegurado, que todo está bajo control, la mayoría de la gente guiña el ojo derecho, con el izquierdo totalmente abierto.

Aprendiendo a observar y a analizar las expresiones de las personas, se puede llegar a comprender la plasticidad de estas expresiones, que descubren a plena luz del día los pensamientos, emociones e intenciones más sutiles de un ser humano.

Así pues, la próxima vez que estés delante de alguien que inclina la cabeza hacia delante con un ojo casi cerrado y el otro muy abierto, ten por seguro que ese gesto significa que no ha comprendido tu intervención y que desea que le repitas la frase.

Por el contrario, si el ojo izquierdo permanece abierto y el derecho está casi cerrado, con la cabeza inclinada hacia la derecha, un codo sobre la mesa y el índice en forma de gancho apoyado sobre la nariz, pues bien, esa persona te estará haciendo saber que no comprende tu enfoque, que le parece muy dudoso y que más bien espera tu apoyo. Los ojos aportan en esta situación otra dimensión para ayudarnos a desentrañar el significado del conjunto de este gesto, pues el codo sobre la mesa y el dedo en forma de gancho sobre la nariz tomados aparte evocan la duda y, por sí mismo, el dedo en forma de gancho sobre la nariz atestigua una forma de desaprobación o de rechazo de tu intervención. Dicho de otro modo, este gesto se traduciría como: «Veo muy bien lo que quiere decir. ¿Es que cree que soy un tarugo?». A continuación, volvamos al gesto del codo, del índice y de los ojos, pero inclinando un poco la cabeza hacia delante, con el ojo derecho muy abierto: la persona que lo efectúa redoblará su afán de proteger su argumentación.

No se puede hablar de los ojos en lenguaje verbal sin decir nada sobre las pupilas. La luz influye en la dilatación (aumento) y la retracción (disminución) del tamaño de las pupilas, infiltrándose en las imágenes transmitidas al cerebro para ser registradas para siempre. La importancia del papel de la luz o su ausencia en la visión es determinante. El frío contribuye por su parte a disminuir la amplitud de las pupilas. Pero el mundo de las emociones, de los sentimientos y de los estados anímicos desempeña un papel igualmente sorprendente en su dilatación o retracción.

La disponibilidad emocional o afectiva de una persona se traducirá en una dilatación de las pupilas, cuya dimensión habitual podría incluso cuadruplicarse. Puede presenciarse este fenómeno en presencia de sentimientos de contento, de excitación y de alegría, o en toda otra forma de emoción agradable. Si observas los ojos de alguien que mira dormir a un niño, y los de un jugador de veintiuno que tenga en las manos un as y un rey de picas, seguro que te darás cuenta de que tienen las pupilas más dilatadas de lo normal. Es un fenómeno tan natural que los jugadores de cartas profesionales llevan gafas ahumadas para evitar proporcionar indicios a otros jugadores.

Por el contrario, la retracción de las pupilas será consecuencia de la cólera, y de otras emociones y sentimientos negativos o contradictorios. Ése sería el caso, entre otros, de una persona presa del desinterés, la antipatía o que dé muestras de arrogancia. En muchas ocasiones en que existe una fuerte agresividad, las pupilas podrían disminuir de tamaño hasta hacerse tan pequeñas como una cabeza de alfiler. Te interesa estar atento a ese mecanismo de la variación del tamaño de las pupilas durante tus conversaciones, pues las personas taimadas pueden mantener una mirada fija mientras afirman: «¡Te juro que yo no soy así!», tratando de que te creas sus mentiras. No obstante, al observar de cerca sus pupilas se podrá leer con claridad que su vocecita interior está diciendo: «Vaya, así que me has pillado».

Estudios de programación neurolingüística concluyen que la vista domina sobre todos los sentidos, incluso sobre el lenguaje. Por tanto, tiene predominancia sobre todas las esferas de actividad. Y tal y como podemos ver, a través del movimiento ocular que permite situar el proceso mental de un individuo, los gestos siempre preceden a la formulación verbal. Por cierto, la parte de este libro que trataba del cerebro ya indicó cómo interpretar la dirección de la mirada de nuestro interlocutor. En los trabajos donde interviene la venta, la contratación de personal o los interrogatorios, observar la mirada de las personas resulta muy útil. En el oficio de padre, esta habilidad será muy interesante, ya que permite determinar si un niño dice la verdad o se inventa cuentos.

Al igual que la boca, los ojos utilizan otros muchos elementos para acentuar sus mensajes. Su color y su forma, la dilatación o la retracción de las pupilas, así como las cejas, forman parte de la estructura comunicativa de la mirada.

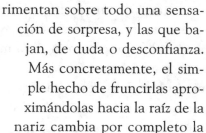

En general, las cejas que se alzan experimentan sobre todo una sensación de sorpresa, y las que bajan, de duda o desconfianza. Más concretamente, el simple hecho de fruncirlas aproximándolas hacia la raíz de la nariz cambia por completo la fisonomía del rostro: la mirada se convierte de repente en antipática y maligna, escéptica o interrogadora. Esta mirada puede, pues, traducir un deseo de venganza hacia el oponente o invitarle al enfrentamiento. En ese momento lo más indicado es aclarar tus declaraciones y reformularlas, si no puedes estar seguro de que hallarás resistencia en tu interlocutor.

Si fruncir las cejas y retraerlas, así como la dilatación de las pupilas, hablan por nosotros, la inmovilidad de los ojos también hace otro tanto. El ser humano, al fijarse, con los párpados inmóviles, en un objeto anodino, nos está informando de su estado de ánimo, que puede traducirse en aburrimiento, un cansancio que provoque falta de concentración o la búsqueda de información en su memoria. A menudo se dice que alguien en este estado se halla en la luna.

Por el contrario, examinemos más de cerca una mirada que se mueve en todas las direcciones. Se sabe que una conversación es una interacción entre una persona que emite un mensaje, el emisor, y otra que lo recibe, el receptor. El receptor que no cese de mover la mirada, vagando en todas las direcciones, indicará una falta de interés personal en el intercambio, evitando la recepción del mensaje. La comparación más adecuada para describir este gesto de los dedos es la de un oyente que escucha una emisora de radio sin sintonizar perfectamente la frecuencia: la escucha se torna difícil. Son varias las razones que pueden explicar esta mala sintonización: puede tratarse de una interferencia, una falta de interés por el interlocutor, o una demostración de inestabilidad o de incomodidad en su presencia. Esta incomodidad puede intensificarse para acabar asimilándose a una sensación de intimidación, que podría estar también en el origen de esa mirada esquiva, una especie de barrera imaginaria para asegurarse protección.

Más asumido, más voluntario, más pícaro, más cómplice: el prodigado guiño de un ojo. Forma de invitación, de consentimiento o de apoyo, este movimiento del ojo, que se cierra rápidamente para volver a abrirse de inmediato, testimonia un sentimiento de amistad, de simpatía o de acuerdo. Hay que tener en cuenta que este gesto suele ir acompañado de una sonrisa que manifiesta una forma de cumplido silencioso.

Más ocultos, los ojos escondidos tras la palma de una mano cuando el codo se apoya en cualquier superficie o se mantiene en el aire –con la cabeza inclinada hacia delante y el pulgar apoyado en una sien, con el índice o el dedo corazón frotando la otra sien– traducen un gran nivel de duda, de apuro o de incertidumbre. Ante este gesto por parte del receptor de un mensaje, su interlocutor se sentirá probablemente molesto y deberá reflexionar sobre la situación. Es conveniente que este último le haga preguntas, a fin de comprender hasta qué punto está el otro dudando de sus capacidades.

En el transcurso de una conversación, la persona que se frota continuamente el ojo izquierdo con el dedo índice, el corazón o ambos unidos está revelando una dificultad para comprender los argumentos del otro bajo un ángulo distinto al suyo, tras haber excluido, claro está, que no está manifestando una simple irritación del ojo. Quien, por su parte, se frota

sin cesar el ojo derecho está negándose a asumir o a concebir su implicación o sus responsabilidades. Este frotamiento del globo ocular demuestra su deseo de embrollar la información que recoge antes de que ésta se infiltre en su cerebro y acabe siendo registrada.

¿Qué puede resultar más elocuente que cerrar los ojos para señalar rechazo de la realidad o dificultades para aceptar lo que se está diciendo? Cerrar unos ojos que se crispan durante algunos segundos, acompañado de un gran suspiro, es un gesto muy extendido, que anuncia que la información es demasiado desagradable o chocante y que hará falta cierto tiempo antes de que pueda ser aceptada del todo. No es raro constatar simultáneamente una boca crispada, conformando un mohín con los labios y los dientes superiores mordiendo el labio inferior. Puede que presenciemos ese gesto con ocasión de una campaña de vacunaciones en un centro médico o cuando una persona reprime su rabia, a punto de explotar, por ejemplo.

Pero mantener los ojos cerrados, en situación de interacción, no es muy frecuente, estarás de acuerdo conmigo... Veamos qué evitan los ojos de una persona que eleve repentinamente la mirada al techo o hacia el suelo, cuando alguien se le acerca: significa que el individuo que llega es indeseable y subrayan el deseo de que éste se aleje porque se siente desinterés, nerviosismo o exasperación hacia él. Si este gesto tiene lugar durante una conversación, el autor mostrará así su rechazo categórico o su desacuerdo en lugar de utilizar palabras. Por el contrario, alguien que baja la mirada hacia el suelo cuando ve a otra le formula una invitación a acercarse.

Totalmente inconsciente, este tipo de mirada abunda en los bares, que ofrecen situaciones propicias a su expresión: inmediatamente después del primer contacto visual, una mujer que ve a un hombre aproximarse hacia ella suele proyectar la mirada hacia el suelo, para manifestar su aprobación acerca de quien continúa acercándose. No obstante, cuando ese mismo tipo de contacto visual se produce en el transcurso de una conversación, lo que manifestará es una forma de sumisión o abandono a las palabras y las ideas pronunciadas por el otro.

Fíjate en que estas últimas miradas constan de un movimiento rápido y a veces muy sutil. En el curso de un interrogatorio o en el caso de una escucha muy atenta, los ojos que se fijan en el techo o en el suelo durante algunos segundos conllevan otro significado. Sé curioso y mira también hacia el suelo o al techo para constatar por ti mismo lo que ocurre. ¡Puede que descubras algún tesoro! Ya en serio, y tal como habrás leído en la parte de este libro que trata del cerebro, las personas que reflexionan sobre algo llevan la mirada o al techo, lo que demuestra que someten la información a la zona específica ilimitada de análisis, o al suelo, el incontestable lugar de la verdad.

Esquivar sistemáticamente el contacto visual también es algo que se constata con cierta frecuencia. En casa de un conocido, lejos de denotar molestia o timidez, una mirada huidiza de ese tipo nos estará mostrando que la persona evitar decir lo que piensa o que no piensa lo que dice. Es como un refugio para sus verdaderos pensamientos y camufla su deseo de participar o implicarse en la conversación. En el curso del intercambio, el individuo con una mirada huidiza está tergiversando y desbaratando sus propias afirmaciones. Suele afirmarse que esa mirada anuncia la mentira. La mirada fugitiva muestra una evasiva o una confesión acerca de un engaño. Aunque sea corto, este desplazamiento ocular confirma una retractación de uno mismo y oculta un cierto estrés, fundamentado en la sensación de haber traicionado o el temor de ver desenmascarados sus maquinaciones. Esta evasión furtiva de la mirada va acompañada de una pausa, y después de palabras parecidas a: «¡Ahhhh! No lo sé», o: «¡No, de verdad que no!».

También puede producirse lo contrario: la mirada de una persona se posa sobre la tuya y te mira directamente a los ojos durante todo vuestro intercambio. Muy motivada o dando muestras de una gran determinación, desea convencerte y transmitirse su mensaje a través de una mirada intimidatoria o provocativa, que exige una sumisión por tu parte, mucho más que la simple confirmación de sus afirmaciones.

Y para finalizar con los gestos de la región ocular, observemos lo que pueden revelar las cejas, con la ayuda de los dedos, parte de lo cual –fruncirlas– ya lo hemos visto. La ceja que se rasca con la punta del índice muestra que esa persona duda o que alberga cierta incertidumbre respecto a las declaraciones de su interlocutor. El hecho, propiamente dicho, indica una voluntad de saber más antes de dejarse convencer por los argumentos de la otra persona.

En cuanto a quien se frota ligeramente el inicio de la ceja y sigue todo su contorno con el índice, está señalando su deseo de liberarse de una situación, de una responsabilidad o de tomar una decisión. No quiere implicarse en la decisión que hay que tomar o no desea compartir sus verdaderos sentimientos. Puede estar a punto de aplicar la máxima que afirma que a veces más vale callarse que decir una verdad que siente mal.

5ª PARTE

*Algunas palabras resultan agradables
cuando los gestos las confirman*

Guy Cabana

El cuerpo

Ya hemos visto que en aras de la interpretación de los gestos, hemos dividido el cuerpo en tres zonas concretas que no cesan de crear movimientos y de difundir mensajes silenciosos: la cabeza, la parte superior del cuerpo y la inferior. En la parte anterior hemos tratado de la cabeza, que se halla en la cúspide del cuerpo, así como de todas las partes que la componen y que desenmascaran nuestros pensamientos y deseos. A continuación abordaremos las otras dos zonas: la parte superior del cuerpo –que mediante su gestualidad exterioriza el movimiento mental, las intenciones de actuar o de reaccionar ante una situación– y la inferior –que manifiesta, en un entorno que no controlamos, las intenciones de intervenir en una situación, huir de ella o acelerarla.

Cada zona proyecta sus propios mensajes, pero todas contribuyen a la sinfonía gestual. Así, en numerosas ocasiones, vemos que se armonizan entre ellas a fin de amplificar un mensaje lanzado al interlocutor. Todos los gestos *accidentales* –sea la postura del tórax, la posición de las manos, las piernas cruzadas o la situación de los pies– están testimoniando algo concreto, nítido y sincero que refleja nuestras emociones y actitudes en el mundo exterior.

La parte superior del cuerpo

Al igual que ocurre con la cabeza, la parte superior del cuerpo, situada entre el cuello y la cintura, produce una cantidad infinita de gestos. Los miembros de esta zona, cuando operan como mensajeros, se contraen y relajan sin pausa, para expresar silenciosamente nuestras necesidades conscientes y para difundir nuestros pensamientos y deseos inconscientes. Los hombros, los brazos, los codos, las manos, los dedos, el tórax y el vientre distribuyen los mensajes lanzados por el cuerpo. Si esos mensajeros que son nuestros miembros utilizasen letras reales, al leer lo que nos dicen descubriríamos que hablan sobre todo de motivos y causas, estrés, ego, emociones, autoridad o defensa.

Los hombros

Al pensar en los hombros como un dulce refugio para tu media naranja, estarás de acuerdo en afirmar que cuentan con un gran poder de evocación romántica. Seguro que también estás de acuerdo en que pueden dar la impresión de cierta fuerza, de poder o incluso de timidez. Ya habrás oído decir aquello de «tener las espaldas anchas». En definitiva, los hombros desprenden más información de lo que podríamos imaginar.

Entre otras actitudes que pueden clasificarse en la categoría romántica se halla el hecho de cruzar los brazos por delante del pecho, con las manos cogiendo los hombros y los ojos cerrados, lo que permite imaginar que se baila un vals o una *lenta* con la pareja a la luz de la luna. Esta mímica se convierte en un gesto cuando el movimiento se efectúa con los ojos abiertos, pues entonces dará muestras de una gran emotividad en ese momento o de una personalidad muy sensible. El que se cruce los brazos a esta altura sobre el pecho no es una cuestión baladí, pues protegen el corazón, los pulmones y el alma. Además de esta protección, apoyar las manos en el cuerpo demuestra la necesidad de proporcionarse calidez y protección para hacer frente a alguien que se aproxima a nuestra burbuja imaginaria de intimidad.

En cuanto a levantar los hombros, significa aliviar un peso o presión considerable. Pero también demuestra indecisión ante la información recibida o la incapacidad de comprender el contenido presentado. Este movimiento vehicula toda la perplejidad posible ante una decisión que hay que tomar o bien, sencillamente, despiste. Por eso aparecerá justo antes de escuchar la declaración: «No lo sé».

Con respecto al gesto en que una persona se apoya en el codo, repliega el antebrazo para que la mano recubra el hombro y a continuación reposa cálidamente la otra mano sobre este último apoyando la cabeza sobre el conjunto, como si quisiera defender a un niño frente a cualquier agresión, se diría que demuestra un comportamiento confuso y una percepción embarullada de la realidad. Aunque este gesto no pertenezca especialmente a un grupo de edad o a una categoría de personas, suele observarse entre los adolescentes ensoñadores o las personas hospitalizadas. Bajo este levantamiento de hombros se oculta un gran deseo de autoprotección, de búsqueda de ayuda o de evasión de la realidad del momento.

Además de alzar los hombros, una persona acostumbrará a meter la cabeza entre ellos, como una tortuga que se retira del mundo, por temor o por sorpresa cuando se halle frente a lo desconocido o a un ruido inesperado.

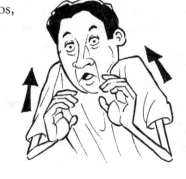

Los brazos

¡Qué maravillosos instrumentos de afirmación gestual! Como están siempre en actividad y permanentemente dispuestos a defender, proteger, abrirse o acoger, los brazos son el emblema de protección, de acción y de amistad por excelencia. Respecto a su movilidad hay que puntualizar que la expresión apropiada sería «casi siempre», pues también pueden relajarse.

Por lo general, los brazos que se ponen por detrás de la espalda reflejan cierto nivel de serenidad, de autoconfianza o de bienestar, mientras que los que se cruzan por delante del pecho o bajo las axilas son una especie de gesto de autodefensa o de protección del espacio vital o de la burbuja personal. Según diversos estudios, nuestra burbuja imaginaria de intimidad varía entre los 40 centímetros y 1,20 metros, y constituye el espacio mínimo –con los brazos descansando– que una persona considera de seguridad entre ella y los demás, antes de que estos miembros se desplieguen a modo de protección o afirmación. Por otra parte, este espacio convencional aumenta a unos dos brazos de distancia en un contexto social, es decir, en presencia de una o varias personas desconocidas. En un entorno público, cuando una persona se dirige a un auditorio o a una multitud, la distancia será de varios brazos.

Evidentemente, esta estructura imaginaria de barricada o de apertura es sobre todo psicológica: la persona que agita los brazos en todas direcciones se siente automáticamente menos frágil y vulnerable ante su interlocutor; la que los cruza se siente reforzada ante su propia vulnerabilidad, pero también se envuelve de compasión, de consuelo y de tiempo para reflexionar; la que los abre está mostrando su receptividad o su facilidad para comunicar.

La mayoría de la gente tiene facilidad para expresarse con los brazos y convertirlos en un *ballet* de piruetas en el aire. Esta danza gestual tiene mucho impacto: acentúa la elección de las palabras o aumenta la fuerza de las emociones. Todo movimiento de los brazos impulsa los pensamientos o levanta una barricada imaginaria. Y los brazos invitan o rechazan con una facilidad inaudita a las personas de nuestro entorno inmediato.

Por eso la que está sentada con el antebrazo izquierdo o derecho colocado horizontalmente sobre la cabeza, y la mano colgando en el vacío, indica una extraña actitud de autodefensa o de bloqueo. Este gesto muestra una falta de comprensión o de aceptación. Fíjate en la manera en que a veces se sientan los adolescentes, con el cuerpo estirado y un antebrazo en esta postura. Nos dan la impresión de que nada los perturba. A veces cruzan y encaraman ambos antebrazos, con las manos colgando, lo que refuerza su actitud de cierre. Con este gesto se muestra un comportamiento de bloqueo de información, prohibiendo formalmente el acceso a ambas esferas del cerebro y dando a entender que sus emociones o sus sentimientos pueden verse perturbados a causa de la información recibida.

En alguna ocasión nos hallaremos frente a una persona que, aunque esté de pie, apoyará el codo sobre su otro brazo, que reposará horizontalmente contra su estómago. Con el puño del primer brazo sosteniendo el mentón, este gesto evoca la imagen de un pensador. Lejos de tratarse únicamente de una imagen, establece que el individuo se halla en profunda reflexión o en un clima mental propicio al autoexamen de conciencia. Por ello se confirma que esta persona pensativa está lejos de estar convencida por tus afirmaciones.

Hay que considerar amenazadoras las manos que reposan sobre las caderas con los brazos tensos, como un águila, pues son signo de cólera, agresividad, tenacidad, contrariedad y determinación. Esta postura crispada de las manos y los brazos caracteriza una sensación de exasperación o de irritación, aunque de vez en cuando –en una situación más relajada– pueda ser un arma de seducción femenina o una demostración de las sensuales curvas de la persona.

Otro ejemplo de una actitud decidida es la del corredor que, antes de la carrera, mira la pista en esta postura, o la del entrenador que realiza este mismo gesto con los brazos al hablar con el equipo antes del partido. Sin duda testimonia su elevado grado de determinación y de seguridad mental.

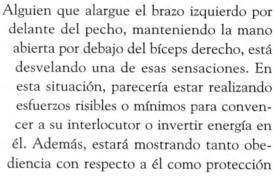

¿Desconocías que el bíceps podía ocultar un presentimiento negativo o miedo? ¡Pues así es! Alguien que alargue el brazo izquierdo por delante del pecho, manteniendo la mano abierta por debajo del bíceps derecho, está desvelando una de esas sensaciones. En esta situación, parecería estar realizando esfuerzos risibles o mínimos para convencer a su interlocutor o invertir energía en él. Además, estará mostrando tanto obediencia con respecto a él como protección personal, a la vez que oculta sus convicciones más profundas. Un gesto igual pero invertido señala el mismo estado de ánimo del individuo, pero más como gesto de sumisión por temor a una reprimenda que por respeto hacia la persona en cuestión.

Hay personas que se expresan agitando brazos y manos en todas las direcciones a la altura del pecho o de los ojos. Dominan la conversación y apoyan su declaración con esos gestos, reforzando así sus convicciones personales. Puedes estar seguro de que te hallas en presencia de personas cuyas dos esferas cerebrales, es decir, la parte lógica y la creativa, se hallan en armonía.

Permanece atento ante la persona sentada delante de ti que mantenga un brazo como si fuese un puente sobre la cabeza: te está lanzando el mensaje de que no está de acuerdo contigo o de que le resultas indiferente. Esta situación suele producirse cuando está hastiada de la conversación. En lugar de poner la oreja, cierra la puerta de su capacidad de escucha y comprensión. ¿Te sorprendería saber que este gesto suele observarse con asiduidad en las aulas?

Por su parte, una persona que ponga la mano izquierda entre el brazo derecho cerrado, con el puño bajo el mentón, estará sintiendo una falta de convicción y de entusiasmo frente a las declaraciones de su interlocutor. Esta postura revela a alguien a punto de frenar su angustia y su implicación en el intercambio. Las palabras que la traducirían podrían ser: «¿Qué es lo que debo hacer?». Si se realiza el mismo gesto invertido, con la mano derecha atrapada entre el brazo izquierdo plegado, la persona está viviendo su inquietud más bien a través de la resignación que de la aceptación.

Un gesto muy frecuente: estando de pie, cogerse el antebrazo derecho con la mano izquierda después de cada afirmación realizada por el interlocutor denota una falta de seguridad en esa persona o su deseo de poder defender sus ideas. Por el contrario, quien se coge el antebrazo izquierdo con la mano derecha se está negando a implicarse emocionalmente en la conversación. No permanezcas indiferente delante de este gesto si se expresa repetidamente, pues estará afirmando en silencio que la persona en cuestión está experimentando temor, incluso terror.

Una pequeña variación: la mano izquierda colocada en el interior del codo del brazo derecho. Fíjate en que, para hacerlo, el brazo izquierdo debe atravesar el abdomen de lado a lado. Puede suponerse con toda seguridad que ese individuo no será el más indicado para asociarse al proyecto propuesto por otro, pues está manifestando que no está dispuesto a implicarse ni tampoco a esforzarse en mantener la conversación ni el proyecto. Está manifestando con su cuerpo que estaría dispuesto a iniciar el proyecto, pero que se desinteresaría con rapidez. Quien realice el mismo gesto, pero inversamente, manifiesta un sentimiento totalmente distinto: se inquieta por una consecuencia negativa en caso de no poder cumplir con las directrices dadas por su interlocutor.

¿Qué postura resulta más reveladora de la autoconfianza que una persona que está de pie, con las manos en la espalda, exponiendo así su corazón, pulmones y espíritu sin ninguna barrera de protección? Pocas posturas demuestran tanta autoconfianza. Por eso resulta típica en un sargento del ejército, en el *maître* de un restaurante, en los superiores jerárquicos y en alguien que realice una exposición pedagógica o motivacional.

Las manos

Dotadas de una gran amplitud de movimientos y situadas en el extremo de los brazos, las manos, que son increíblemente hábiles, gracias a los dedos y los pulgares –que pueden coger, soltar, acariciar, construir, manejar, manipular, tocar a las personas y a los objetos–, han permitido y permiten a los seres humanos crear su propio universo. Sin duda se encuentran entre los elementos que más han contribuido a la evolución del ser humano y a la construcción de las civilizaciones.

Al igual que los ojos, las manos disponen de una generosa paleta de signos gestuales y constituyen excelentes vectores de lenguaje no verbal. Pueden posarse sobre todas las partes del cuerpo para afianzar, acompañar o dar fuerza a un mensaje corporal. Una mano, igual que un pincel, colorea una palabra o un diálogo subrayándolos con un trazo o acentuándolos, dibujando una contradicción o esbozando una idea.

En este sentido, son maestras geniales a la hora de desvelar los mensajes verdaderos y por tanto actores protagonistas del lenguaje corporal. Consiguen descubrir la esencia de una persona, traduciendo, mediante mensajes palpables y visibles, sus actitudes y emociones a través de la humedad, el calor, temblores, su contracción, su sequedad o frialdad, además de los innumerables gestos que componen.

Impedir a una persona que las utilice para expresarse es hacer que pierda sus herramientas. Experiencias personales a modo de demostración: cuando se pide a la gente que se exprese sin utilizar las manos e inmovilizando los pies, algunas tartamudean, mientras que otras no encuentran las palabras o disminuyen enormemente la cadencia de su modo de hablar. Puede, pues, concluirse que resulta muy difícil contener el movimiento de las manos en el mundo de la expresión verbal, pues son el vehículo de las palabras y las fieles acompañantes del habla. Se agitan de manera incontrolable para ofrecer a éstas un cierto nivel de credibilidad o de afirmación y así facilitar su interpretación.

Ya dijimos que las manos traicionan las palabras y ponen al descubierto los sentimientos más profundos, las emociones y expresiones que intentamos camuflar bajo aquéllas. Y mediante ese movimiento rotatorio de las manos, de un puño o abriéndolas, revelamos instintivamente nuestras verdaderas intenciones, y nuestros actos y palabras subsiguientes. Las manos hacen de raíces involuntarias en la construcción de nuestros mensajes mudos y les proporcionan sentido y autenticidad.

Fundamentalmente, la mano izquierda cuenta con la propiedad de ser defensiva, y la derecha de ser ofensiva. Por ello, la derecha es el motor que actúa, mientras que la izquierda es el vehículo que sostiene. Por otra parte, un individuo que tenga dificultad para realizar un movimiento con las manos, acostumbrará a decir: «Soy poco diestro». Esta frase no es fruto de la casualidad, pues confirma que esa persona experimenta cierta dificultad para ser creativo con la mano izquierda (controlada por el hemisferio derecho del cerebro) y que exige de esa mano tanta destreza y habilidad como de la derecha.

Instrumentos y parte integral de las manos, los dedos denotan una cierta profundidad de pensamiento y realizan su propia declaración gestual. Sabemos que cada dedo cuenta con su huella dactilar única que testimonia la individualidad, autenticidad y existencia física de un individuo. No existe ninguna otra huella dactilar idéntica a la nuestra, y eso hablando en pasado, presente y futuro, más allá de nuestro paso por la tierra. Se puede afirmar que esas huellas son una prueba incontestable de nuestra existencia en este planeta.

Cada dedo acompaña de manera muy particular y precisa la formulación de un mensaje. Cada dedo participa a su manera para desvelar una parte de nuestro inconsciente y su significado. El hecho de profundizar en lo que significa cada uno de ellos implica que te permitirá captar toda su amplitud y su importancia en la interpretación del lenguaje corporal. En las páginas siguientes repasaremos los dedos más decisivos y que más contribuyen a revelar los mensajes no verbales.

El meñique de la mano izquierda de una persona representa su pasado y sus antecedentes. E incluso evoca su benevolencia y su amabilidad. Quien se acaricia, frota o protege este dedo retrocede en el tiempo y está buscando un apoyo moral.

El dedo más largo de la mano izquierda, por el hecho de ser el más visible cuando se abre dicha mano, representa el perfil del individuo, su estima y es el símbolo de su esperanza. Su compañero un poco más corto, el índice izquierdo, cuando se mueve simboliza el poder dominador de un individuo o su afirmación. Este dedo impulsa una gestualidad asociada a la envidia, la conquista o la competición. Es muy probable que quien veas con el índice izquierdo sobre la sien, la mejilla, la nariz o la boca, mientras te está escuchando, estará a punto de preparar un argumento sólido para defenderse.

El pulgar de la misma mano encarna la aptitud creativa, lo imaginario y la jerarquía de la satisfacción. Por eso una persona que pone el pulgar izquierdo bajo el mentón mientras escucha a su interlocutor a la vez que le mira a los ojos está anunciando en silencio que prepara una ofensiva para convencerle. La persona que, por su parte, se lo mira con una sonrisa disimulada en la comisura de la boca mientras te escucha, está afirmando que cree haber realizado todos los compromisos necesarios para sonsacarte algún provecho. El pulgar de otra persona, replegado en la palma de su mano, es reflejo perfecto de su propio repliegue sobre sí mismo y de la contención de sus pensamientos.

Pasemos a los dedos de la otra mano: el meñique de la derecha expresa nuestra ternura, al niño en nosotros o nuestra necesidad de mejorar nuestro destino actual, lo cual explica por qué nos lo sujetamos y friccionamos tan a menudo con la mano izquierda cuando experimentamos dificultades, como si pudiéramos hacer que desapareciese esa situación que nos atormenta.

El dedo corazón derecho es el guardián del aspecto mental de la persona. Personifica el reflejo cerebral de toma de decisiones. Además, quien da golpecitos con él sobre la mesa durante una reunión está escuchando con mucha atención, pero se prepara para formular una respuesta o para proponer una solución.

El índice de la mano derecha pone en movimiento el «yo» o el «mi» cuando entra en acción. Al hacerlo, puede representar la autoridad, el poder y el egoísmo, y expresar las emociones, los sentimientos y los pensamientos de una persona.

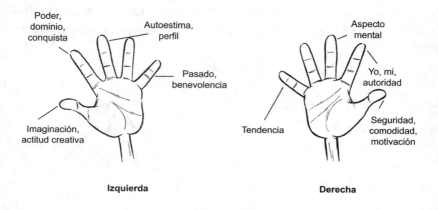

Izquierda   Derecha

En consecuencia, cuando una persona habla de sus emociones y sentimientos, o expresa sus pensamientos, se tocará o tocará los objetos y a las personas con su índice derecho. Y cuando un individuo tiene en mente llegar a dominar a su interlocutor, agita su índice derecho delante del rostro de éste.

Tanto si se levanta con genio como si se mueve de otro modo, el pulgar de la mano derecha simboliza sobre todo la actitud de mando, es decir, la seguridad, la comodidad o la motivación. No escasean las ocasiones de verlo aparecer también adoptando un signo de aceptación, confirmación o satisfacción. Los padres, los pilotos de avión y los instructores de todo tipo lo utilizan con fruición para señalar su aprobación. Otros ejemplos de su empleo: el bebé se lo lleva a la boca muy a menudo por instinto, pero también en busca de seguridad, y el autostopista lo muestra para indicarnos que quiere subirse al coche.

Veamos los gestos que se sirven de los dedos. Como ya mencionamos en la tercera parte de este libro, una persona que apoya los codos en la mesa o en el escritorio, y que une las puntas de sus diez dedos entre sí de manera que estén sueltos y que conformen una pirámide, demuestra un elevado nivel de confianza y comprensión. Separar los dedos denota su amplitud de miras y su escucha atenta. Si el conjunto señala hacia

el interlocutor, querrá decir que la persona desea ser puesta al corriente de todas las informaciones que pudieran contribuir a mejorar su comprensión y razonamiento. En cambio, si la pirámide apunta más bien hacia arriba, estará anunciando que se ha establecido una relación de confianza entre los presentes, y que el sujeto desea captar con precisión el contenido de lo que escucha o se apresta a exponer.

Una advertencia: cuando la cima de la pirámide apunta hacia el propio individuo, tocando la boca, la nariz o el mentón, indica que tiene confianza en sí mismo y que duda de las afirmaciones del otro. Este gesto inconsciente podría seguir a una pregunta que esa persona hiciera a su interlocutor, a la vez que se alejaría lentamente de la mesa. Respecto a quien realiza ese gesto tras haberte hecho una pregunta, puedes pensar que ya conoce la respuesta; sólo está intentando medir tus conocimientos antes de proseguir la conversación. Si dudas y ves con claridad cuál es su juego y, a causa de ello, intentas sorprenderla, puedes estar seguro de que su actitud posterior implicará acercarse a la mesa. De repente desaparecerá la confianza que tenía en ti. A menudo, tras un movimiento de ese tipo, se observa que la persona cierra los dedos de una mano y deja caer el puño sobre la mesa para hacer pública su decisión. En ese momento debe finalizar toda conversación. Antes de llegar a ese punto sin retorno convendría, si observas ese gesto de las manos en forma de pirámide, no intentar convencer a tu interlocutor si no estás seguro de tus argumentos. En este caso más valdría que le dejases hablar.

Un gesto parecido al anterior pero con un significado totalmente distinto: ambas manos abiertas apoyadas una contra la otra, con los dedos juntos, manifiesta una persona que escucha con gran atención. Lo bastante atenta para no permitir que nada la distraiga, que nada se infiltre a través de las palabras que escucha religiosamente. Además, demuestra que ya ha iniciado su reflexión o su ruego para comunicar su decisión. Por lo general, esta postura va acompañada de otros dos gestos: los pulgares utilizan la papada como apoyo y los dedos índice tocan el borde de la nariz, una composición que cierra el paso a toda tontería que pudiera salir por la boca.

Si las manos de una persona que se halla sentada están cerradas conformando puños que descansan en sus muslos, eso indica que toma distancia y da muestras de un cierto inconformismo. Este gesto sugiere que manifiesta una escucha indiferente y apática.

Por otra parte, el hecho de ocultar con una mano dos, tres o cuatro dedos de la otra mano atestigua falta de seguridad por parte del interlocutor. Este

gesto, que imita el encarcelamiento de los dedos, es un reflejo de un estado mental a la deriva.

La incertidumbre frente a las palabras del interlocutor puede expresarse de la manera siguiente: las manos apretadas entre sí y a la altura de la boca, con los dedos índice y corazón de ambas manos levantados, y el resto de los dedos doblados y cruzados, incluyendo los pulgares. Lejos de

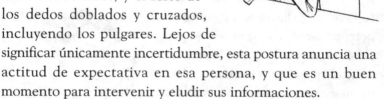

significar únicamente incertidumbre, esta postura anuncia una actitud de expectativa en esa persona, y que es un buen momento para intervenir y eludir sus informaciones.

El mismo gesto, pero en esta ocasión con los pulgares bajo el mentón, muestra un perfil que imita a un individuo sosteniendo una escopeta de dos cañones entre las manos. No hay duda de que la persona que adopta este gesto intenta buscar fallos en el discurso del otro antes de ponerle contra la pared. Un ejemplo: en la caza no indicaría ni el lugar ni la manera, sino el momento de disparar. Así pues, implica que la persona está lejos de dejarse convencer; más bien que intenta ser convincente.

A veces, este perfil mímico de la persona que escucha transforma los dos cañones en uno. Este cañón imaginario entre las manos hace menos daño, pero el deseo de rebatir el punto de vista está siempre presente en quien esté apuntando al aire. Sólo espera el momento propicio para pasar a la ofensiva o para defender sus ideas.

¿Te has hallado alguna vez, durante unas negociaciones, frente a una persona sentada, que apoya los antebrazos en la mesa, con las manos apretándose entre sí de tal manera que parece que sostenga ese fusil imaginario? Se trata de un gesto que, cuando se dirige hacia alguien en concreto, indica un ataque o el deseo de cerrar unas conversaciones que no

avanzan. Las palabras que siguen confirman manifiestamente que este gesto se utiliza como un arma. En lugar de decir: «Deberías hacer esto o lo otro», el agresor pedirá más bien: «Haz esto o haz aquello». ¡Con un arsenal así entre manos ya se puede!

Tender una tela de araña resulta más inofensivo que la escopeta, pero sigue siendo una muestra de obstrucción hacia quien habla. La persona que tiende esta tela cruzando los dedos de ambas manos –fíjate, en el momento en que unes las dos manos, en la tela que tejes–, para después unir las palmas,

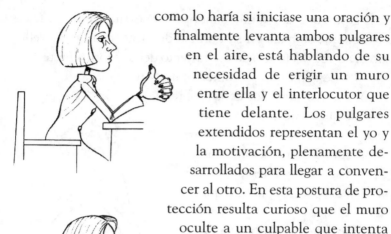

como lo haría si iniciase una oración y finalmente levanta ambos pulgares en el aire, está hablando de su necesidad de erigir un muro entre ella y el interlocutor que tiene delante. Los pulgares extendidos representan el yo y la motivación, plenamente desarrollados para llegar a convencer al otro. En esta postura de protección resulta curioso que el muro oculte a un culpable que intenta defenderse mediante su encanto o sus bonitas palabras.

Si la tela de araña se despliega con la variante de los pulgares plegados sobre los labios, estaremos frente a una persona que escucha con objeto de evaluar al orador. La opinión que conformará, antes de intervenir, oculta igualmente la secreta esperanza –o una plegaria sutil a favor– de que la información le convenga.

Una persona que tiene los codos apoyados sobre la mesa o el escritorio, y se sujeta el rostro entre ambas manos, como para enmarcar sus mejillas, con el mentón alojado entre los huecos de las palmas y los meñiques acariciando cada una de las aletas de la nariz, desvela un carácter emotivo.

Este gesto, que se realiza cuando se está escuchando, da fe de alguien que se halla en su burbuja de protección y que reflexiona acerca del futuro de un proyecto del que forma parte.

La persona que se cubre totalmente el rostro, apoyando los codos sobre el mueble que tiene delante o sobre los muslos, manifiesta por el contrario desánimo, desesperación, cansancio o disgusto. No desea conocer el final del suceso, pues no quiere dar la cara.

Finalmente, un gesto de los más significativos que utilizan la mano es el del individuo que barre la mesa de izquierda a derecha para quitar polvo imaginario. Esta manifestación de lenguaje corporal equivale a la tecla «suprimir» del teclado del ordenador: la persona aniquila así la información comunicada durante la conversación. Este gesto pretende borrar parte de la conversación y destruir selectivamente mensajes que están en contradicción con lo que el sujeto piensa. Indica un rechazo categórico a dejarse convencer, pues las informaciones divergentes son rechazadas o borradas.

Como esta mímica del barrido es aparente y puede llevarse a cabo a distintas alturas o sobre diversas partes del cuerpo, incluso sobre diferentes objetos, es posible observar múltiples variaciones. Una de ellas utiliza una hoja de papel sobre el mueble frente a quien realiza el gesto. Tras la exposición del interlocutor, una persona puede limpiar las hojas de papel que tiene frente a ella.

Efectúa este gesto delante de alguien que emite una opinión en contra o cuestiona informaciones que le acaba de transmitir, o bien exige una especie de enfrentamiento. Así pues, como el «barrendero» reconoce una debilidad en sus argumentos o informaciones, se pone a barrerlas, para hacerlas desaparecer en señal de capitulación. Es como el pañuelo blanco que se agita delante del enemigo en una situación de guerra. El que entrega las armas se someterá a los argumentos del adversario, lo que significa que la información de este último es superior a la de su propio texto.

A menudo puede observarse este mismo movimiento de barrido efectuado sobre el hombro, en el momento en que alguien escucha atentamente a quien tiene delante. Este gesto repentino, realizado con una mano, parece querer eliminar una mancha ficticia en el hombro opuesto. Afirma tácitamente: «Debo desembarazarme del exceso de peso sobre mis hombros, porque me siento atrapado». Así pues, la persona quiere borrar a quien tiene delante y sustraerse a esas informaciones que tanto le pesan. La intervención del interlocutor le somete a demasiada presión y, con este gesto de limpieza realizado con la mano, está mostrando su rechazo a plegarse a las aspiraciones de éste. De hecho, está simplemente diciendo: «¡Desaparece!».

La variación que hace que se pase una mano –o ambas– por la parte superior de los muslos, de manera repetitiva, como si se quisieran eliminar restos de algo, muestra falta de interés hacia la otra persona o la información que nos comunica. La sensación hacia el otro puede llegar incluso hasta el desprecio, lo que indica que este gesto revela su deseo de apartarlo por completo de su camino. Ante tal actitud, el intercambio se interrumpe, lo que pone fin a la conversación. Recordando que la parte superior del cuerpo señala lo que la persona controla o representa, y que la inferior indica aquello sobre lo que no tiene ningún poder, se puede llegar a interpretar este gesto de las manos barriendo los muslos, es decir, una parte inferior del cuerpo: la persona en cuestión muestra signos evidentes de que no controla a su interlocutor de ninguna manera y que sólo se reprime a la hora de suprimirlo a fin de conservar su dignidad o su postura inicial.

La parte inferior del cuerpo

Esta zona del cuerpo, que comprende entre la cintura y la planta de los pies, incluye miembros de acción que permiten dirigirse hacia una situación o evitarla. Éstos son –en cuanto a la gestualidad se refiere–, los muslos, las piernas y los pies. Cada uno de estos miembros presenta expresiones gestuales que reflejan los sentimientos que están más allá de nuestro alcance o de nuestro control.

La observación de la gestualidad que emana la parte inferior del cuerpo resulta cautivadora pero es de difícil percepción, pues a menudo se halla obstruida por una mesa o un escritorio. Eso no impide que los gestos situados en esta zona del cuerpo conformen una importante fuente de informaciones sutiles y de mensajes auténticos. Los pies y las piernas adoptan de forma bien natural el papel de barreras de protección frente a toda invasión de la burbuja personal o ante una agresión inconsciente. También ejecutan gestos que manifiestan la intención de implicarse, de intervenir en una conversación o de abandonar toda situación susceptible de afectar a la satisfacción personal.

El ser humano avanza o retrocede en las situaciones que vive, y los gestos de todo el cuerpo traducen estos estados de aceptación o de resistencia a los cambios. Pero la parte inferior del cuerpo puede matizar este cuadro contrastado: a veces se observa un balanceo de lado a lado de esta zona que exterioriza una duda a inclinarse de uno u otro lado, a la vez que inseguridad o miedo frente al hecho de tomar una decisión.

Así, la función principal de las piernas, además de la expresión gestual inconsciente, es servir al cuerpo para desplazarse, mientras que los pies expresan su determinación a estar presentes allí donde éste se halle, o bien, al contrario, a mostrar su temor al ver que una situación se desarrolla fuera de su control.

Las piernas

Al igual que a otras partes del cuerpo, el cerebro también envía a la parte inferior del cuerpo mensajes que tienen que ver con nuestras pulsiones, emociones y sentimientos. Pero a pesar de las múltiples facetas y funciones gestuales no verbales de piernas y pies, la actividad fundamental de éstos es hacer que el cuerpo se mueva de un sitio a otro y mantenerlo en postura vertical mientras permanece inmóvil.

Si *los hombres vienen de Marte [y] las mujeres de Venus*, en lo que concierne a su psicología y a su concepción del mundo, ambos sexos también se diferencian en su manera de andar y en la postura que adoptan cuando se hallan en posición vertical. La manera de andar masculina es dura y dominadora, mientras que la mujer se desplaza con más fluidez y elegancia. Aunque los dos lo hacen avanzando las piernas sucesivamente, adoptando una cierta cadencia, también resulta fácil observar de dónde proviene la diferencia, que radica en la morfología distinta de sus pies: la planta del pie masculino hace que el hombre camine en pronación, mientras que la mujer lo hace en supinación. La pronación de la planta hace que el hombre camine con los pies hacia fuera y que por lo tanto gaste la suela de los zapatos por esa parte; la supinación de la planta tiene como consecuencia que la mujer camine con los pies hacia el interior, y que por ello gaste esa zona de la suela de los zapatos.

Valga eso como distinción en cuanto a la manera de andar de ambos sexos. A continuación, y sea cual fuere el sexo al que pertenezca, una persona sentada, que cruza la pierna derecha por encima de la izquierda, está demostrando un espíritu lógico y un pensamiento razonado. Con esta postura indica que sus emociones están inhibidas por su conciencia. Por otra parte, si esa misma persona descruza las piernas a la altura del muslo y la izquierda cubre la derecha, estará haciendo sitio al lado derecho del cerebro, donde tienen su sede las emociones y los sentimientos. A través de ese hecho muestra su propia percepción de la realidad y no la comprensión real de las palabras que se intercambian en la conversación. Si te hallas en una situación de negociación, observa atentamente cómo se realiza este desplazamiento de las piernas, pues su posición testimonia que tu interlocutor tiene la impresión de comprender los hechos en lugar de captar la información con claridad. Esta gestualidad es al cuerpo lo que «Sí, pero...» es a la palabra.

Un individuo que tiene una pierna un poco avanzada sobre el suelo, si siente angustia o amenaza en la conversación, la retirará lentamente hacia él, demostrando que se siente incómodo frente al otro y que rechaza sus ideas o mantiene un desacuerdo temporal. Este gesto provisional descubre que está a la búsqueda de nuevas ideas o de otros argumentos antes de proseguir la conversación.

La postura en la que alguien se sienta, coloca la pierna en forma de escuadra sobre la otra, cruza los dedos de las manos y sitúa éstas entre la rodilla y el tobillo es típicamente masculina. Al realizar ese gesto, el hombre traiciona su sentimiento de temor y una forma de inseguridad perdurable.

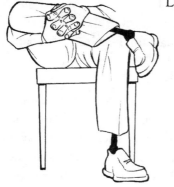

La mujer también cuenta con una postura típica: se sienta y pone un pie en el suelo, mientras que con la otra pierna, que cruza sobre la rodilla de la primera, acaba abrazándola a la altura de la pantorrilla, como si ambas piernas fuesen dos lianas. De ese modo descorre el velo de un sentimiento u otro, ambos muy distintos. Efectivamente, dependiendo del contexto, este doble cruce de piernas sugiere una fortaleza protectora, o una actitud de celos o envidia. Para descifrar este gesto, como para todos los demás, hay que tener en cuenta el contexto, es decir, las palabras y las personas presentes en el entorno, antes de extraer una conclusión gratuita.

Aunque las mujeres no tengan el monopolio de esta postura, en la práctica así es, pues es de difícil ejecución para los hombres. Por tanto, si perteneces al sexo masculino, te desafío a que intentes adoptar esa postura sin hacerte daño. ¡Atrévete!

Por fortuna, la impaciencia no es exclusiva del hombre ni de la mujer. Ambos sexos la mostrarán por lo común su impaciencia en una postura sentada, cruzando las piernas a la altura de las rodillas y balanceando hacia arriba el pie que ocupa la posición superior. Compulsivo, este gesto señala el deseo de la persona de ver desaparecer de la habitación las informaciones en juego. Fíjate en la similitud entre el reverso de la mano que barre el aire y que dice silenciosamente:

«Lárgate», y el pie que se balancea. El gesto en cuestión puede además poner a alguien al tanto del rechazo, de objeciones o de opiniones que la persona efectúa a fin de evitar un debate.

Los pies

Los pies dicen también mucho acerca de nuestro estado anímico, de nuestras emociones y sentimientos. Fíjate con atención en el pie que se encuentra en el suelo. Cuanto más persuadido está el individuo de que te convencerá, más tiende su pierna y su pie a adelantarse. Debe resaltar su poder invadiendo tu espacio. Además, se siente cómodo y desea proseguir la conversación con una actitud abierta.

Por el contrario, ocultar los pies tras las patas delanteras de una silla es el equivalente gestual del deseo de esconderse: la persona que se sienta así para proporcionar un apoyo o un sostén a sus pies realiza esfuerzos evidentes por permanecer a la escucha, a pesar de su deseo de evitar toda implicación en la conversación. Al colocar los pies tras las patas de la silla, expresa su voluntad de proseguir el intercambio más a causa de su espíritu de colaboración que por interés.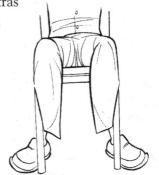

Regresemos a la impaciencia. Ésta es una de sus manifestaciones que con más asiduidad puede observarse en las salas de espera: golpear de manera frenética el suelo con la punta del pie. Este gesto revela cierta censura del enojo que se siente o bien un rechazo de los propios sentimientos. También puede compararse a una imagen: la de un martillo golpeando un problema de agitación permanente. Resulta más flagrante cuando va acompañado de un suspiro de exasperación.

En el transcurso de una reunión, nuestra atención también debería fijarse en los pies que se encuentran bajo la silla, retrasados y reposando su peso en la punta de los dedos. ¿Por qué? Porque esta postura anuncia una persona que anda pisando huevos y que carece de argumentos convincentes. Incluso retira sus ideas temporalmente, pues da la impresión de estar más de acuerdo con las palabras que con sus convicciones.

El individuo que viene a continuación padece menos estrés que el anterior: sentado en el borde de la silla, con los hombros apoyados en el respaldo, estira las piernas en el suelo y cruza los pies para relajar y descansar el cuerpo. En este caso, los pies cruzados, y a pesar de lo que pudiera pensarse, no denotan una persona a la defensiva, sino que más bien hacen referencia a una actitud de resignación con respecto a quien está hablando. Además, mediante esta postura de las piernas estiradas se está indicando que utiliza el máximo de territorio y asegura su espacio vital. Por lo general, este estiramiento del cuerpo va acompañado de unas manos cruzadas por detrás de la cabeza o juntas por delante, sobre el bajo vientre.

Los pies que están firmemente apoyados en el suelo por delante de la silla y separados mirando hacia el exterior del cuerpo nos están mostrando a una persona que cuenta con una actitud abierta. Mostrará una actitud de escucha atenta y sabrá explotar las ideas e informaciones transmitidas por el otro. Por lo general, se notará una separación de la punta de

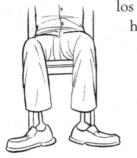

los pies mucho más pronunciada en los hombres que en las mujeres. Por otra parte, este hecho no indica que el hombre posea mayor amplitud de miras. Tampoco insinúa que la mujer no demostrará la misma actitud abierta para comprender. Dejemos a un lado, si me lo permites, estas interpretaciones gestuales un tanto resbaladizas.

En el futuro observarás que una persona que tenga la intención de tomar la palabra lo anuncia mediante la postura de sus pies. Así es, si quiere ser protagonista, colocará probablemente un pie delante del otro por delante de la silla, esperando el momento propicio para meterse en la conversación. Esta postura se conoce como «del corredor». Su observación atenta nos lleva a concluir que un corredor hará un máximo de tres salidas antes de intervenir en una conversación. De no poder hacerse un hueco entre dos intervinientes, se retirará de la mesa durante unos instantes, cruzando los brazos y las piernas en señal de protesta gestual, antes de intentarlo de nuevo.

Ten cuidado con tu interpretación de este gesto de desplazamiento de los pies: también puede confirmar la intención de marcharse si levanta el talón del pie que está atrás y echa el cuerpo hacia delante. Tendrás razón si piensas que ese ritual de movimiento corporal indica que esa persona está realmente a punto de marcharse.

6ª PARTE

El cuerpo encuentra de manera general el gesto
adecuado si la mente no le impide el paso

W. Timothy Gallwey

Gestualidad cultural

Elaborar una guía para interpretar los gestos no es cosa fácil. Una de las principales dificultades, que se halla presente en todo intento de dar un sentido y un contenido a los gestos, es probablemente la variable cultural. Así es, hay muchos gestos que están íntimamente vinculados a las costumbres de los habitantes de un país o de una región, aunque a veces hayan atravesado fronteras y dado la vuelta al mundo.

Ya sabes: las costumbres y las maneras de expresarlas varían enormemente entre países o regiones. Un gesto de amabilidad en un sitio podría, en determinadas circunstancias, ser interpretado como un acto de agresividad en Norteamérica. Lo que se entiende en una región del mundo como un signo de cortesía puede percibirse, en el otro extremo del planeta, como una grosería.

No hay más que pensar en esa tradición de algunos países donde, al final de una comida copiosa, se lanza un sonoro eructo a fin de demostrar gratitud al anfitrión. Este aullido intestinal de cortesía es no obstante muy mal recibido en Occidente y, cuando surge de manera inesperada en el curso de una comida, el código de las buenas maneras exige que uno coloque la mano delante de la boca adoptando una expresión de incomodidad a la vez que se excusa.

Por ello me parece fundamental determinar el sentido de los gestos culturales. Respecto a este tema, sea cual fuere su importancia, los gestos pueden traducirse siempre en palabras. En todos los continentes, los movimientos más elementales comportan reglas de descodificación cultural que abren camino a su interpretación. De hecho, se trata de una forma de resolución mediante las palabras que da un sentido a las diferentes manifestaciones del lenguaje no verbal.

A fin de alimentar nuestra reflexión acerca de este tema, este capítulo presenta una serie de gestos corrientes, que reproducen algunas de las actitudes gestuales que pueden hallarse en diferentes partes del mundo, excluyendo Norteamérica.

Dados los límites impuestos por la presente obra y la extensión del lenguaje no verbal, nos concentraremos en los gestos más corrientes, que aparecen catalogados en los distintos países sometidos a varios estudios.

Aunque en algunos de los descritos a continuación pueden observarse ciertas semejanzas con nuestros gestos corrientes o una especie de reciprocidad en su origen, eso no significa que exista una equivalencia o similitud del sentido. En este aspecto hay que mostrarse siempre muy prudente.

Finalmente, conviene tener en cuenta que los gestos que aparecen catalogados en este capítulo no constituyen comportamientos exclusivos de las regiones o países tratados. También pueden formar parte de las costumbres de diversas regiones o países, con modulaciones y significados parecidos o distintos. No obstante, se da una constante: los gestos sometidos a análisis provienen todos del contexto de la conversación entre dos personas.

África

Un gesto que suele impresionar es pasar voluntariamente el brazo por encima de la cabeza y tirarse de la oreja opuesta con el pulgar y el índice. Mediante este ejercicio, un tanto acrobático, esa persona indica a su interlocutor que sus palabras le parecen complicadas y carentes de fundamento. Le está pidiendo de manera implícita que le proporcione una explicación simple y de fácil comprensión. Es decir: ¿para qué complicar las cosas fáciles?

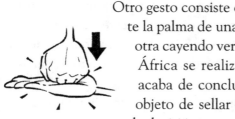

Otro gesto consiste en golpear enérgicamente la palma de una mano con el puño de la otra cayendo verticalmente sobre ella. En África se realiza esa acción cuando se acaba de concluir un buen asunto, con objeto de sellar un acuerdo o una toma de decisión.

Alemania

Alguien que golpee con el codo en la palma de la otra mano, mediante golpecitos repetidos, está diciéndole a su oponente que le parece un imbécil o un estúpido. Ese gesto mímico simboliza de alguna manera el aplastamiento del

cerebro del interlocutor, como si fuese una
llave de lucha libre.

Si, por casualidad, un alemán te
enseña una nalga dándose golpecitos
con la mano derecha, eso significa
que te está provocando, que te insul-
ta o que desea castigarte. Este gesto,
que evoca una reprimenda, le dice al
contrario que se merece una azotaina.

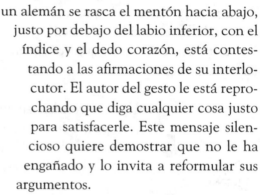

Por otra parte, cuando

un alemán se rasca el mentón hacia abajo,
justo por debajo del labio inferior, con el
índice y el dedo corazón, está contes-
tando a las afirmaciones de su interlocutor. El autor del gesto le está repro-
chando que diga cualquier cosa justo
para satisfacerle. Este mensaje silencioso quiere demostrar que no le ha
engañado y lo invita a reformular sus
argumentos.

Fíjate en que, en la mayoría de las demás regiones del
mundo, este gesto evocaría el sueño o la esperanza de que una
situación fuese favorable.

Para los alemanes, meter los
pulgares entre los dedos cerrados
en forma de puño, a la vez que
se da un golpecito seco hacia el
suelo con los antebrazos, expresa el deseo de atraer la suerte o
la victoria. Resulta interesante el

hecho de que para la mayor parte de los habitantes de este
planeta esta petición de suerte o de victoria se manifiesta sobre

todo mediante el gesto de cruzar el índice y el corazón de la misma mano.

Sudamérica

En esta zona del mundo, una persona que crea que no dices la verdad replegará los dedos de una de sus manos, manteniendo el índice extendido y realizando un movimiento de sierra a lo largo de la garganta, para acabar apuntándote directamente. Este gesto proyecta el deseo de esa persona de cortarte el cuello, porque te considera un mentiroso. También es muy común en todo el mundo, sobre todo en la esfera deportiva, pero no por las mismas razones. Un consejo de amigo: ¡cuidado con las palabras que eliges y con las mentiras!

Para requerir protección contra la mala suerte, las desgracias o las maldiciones, los latinoamericanos suelen hacer un gesto que podría describirse como la cornamenta de un toro: se coloca la mano vertical, con el índice y el meñique estirados hacia lo alto y los otros tres dedos metidos hacia la palma. El gesto se acompaña de un

movimiento giratorio de la mano, varias veces en ambos sentidos. La imagen evoca sacudir a un diablo, a fin de que desaparezca para siempre de nuestra vida.

En este continente, para identificar un robo o un timo, se coloca el antebrazo de la mano abierta sobre una mesa o cualquier

otra superficie plana, y a continuación se efectúa un movimiento hacia delante y atrás, y viceversa, un poco como si se quisiera quitar el polvo de la superficie. El gesto indica al interlocutor que el individuo en cuestión es un ladrón y que hay que andarse con cuidado, pues una vez que le demos la espalda, podría apoderarse de nuestro dinero o de nuestros bienes.

Una persona que, con las manos abiertas por delante, efectúa movimientos circulares y rápidos hacia delante indica que las cosas no evolucionan con suficiente rapidez. Al hacerlo, demuestra su impaciencia ante la lentitud del desarrollo de la actividad en cuestión y su deseo de ver acelerarse el proceso.

Este gesto también se utiliza en Quebec. La prueba: cuando René Lévesque era primer ministro, lo empleó en alguna ocasión al hablar de la soberanía de Quebec.

Siguiendo con Sudamérica, una persona sonriente que coloca la punta del índice por debajo del ojo indica que ha visto

algo excepcional o de gran interés. El mismo gesto, pero con los ojos semicerrados y sin la sonrisa, significa más bien que ha captado la metedura de pata o la estupidez de su interlocutor, es decir, que le ha calado.

El mundo árabe

En el mundo árabe, alguien que se besa las articulaciones de la mano derecha para a continuación girar la palma en dirección al cielo evoca su gratitud hacia Dios, que puede expresarse a través de favores o dones de orden material o espiritual.

Cuando una persona pone una de sus manos bajo el mentón, con la palma hacia el suelo, a la vez que mueve rápidamente los dedos, estirados por delante, como una hoja al viento, está injuriando a su interlocutor dándole a entender que es un viejo loco o un chalado. El movimiento de los dedos representa la barba de un anciano senil, posiblemente perdido en el desierto.

El árabe que flexiona los cinco dedos como las zarpas de un tigre, a la vez que efectúa un movimiento de arriba abajo delante de su interlocutor, está imitando a un animal atacando a su presa. El autor de este gesto indica el desprecio que

siente por el otro. Por otra parte, es una manera de ridiculizar los datos del discurso del oponente.

Ya se sabe que a los árabes les gusta besarse. En todas las regiones se utiliza el beso como señal de amistad o como saludo, igual que nuestro apretón de manos.

El beso puede darse en la frente, en la nariz, en la mano y, a veces, en los pies. Cuanto más inclina la persona su cuerpo para darlo, más está demostrando el respeto que siente por su interlocutor. Por el contrario, si un árabe besa la frente de alguien, establece su dominio o incluso indica una falta de respeto. Por eso se reservan los besos en la frente para los hijos, a menos que se le quiera faltar al respeto a alguien.

En esta región del mundo, se transmiten saludos respetuosos a través del *salaam*. Siguiendo la tradición, el *salaam* se lleva a cabo mediante una serie de cuatro gestos consecutivos:

con el extremo de los cuatro dedos de la mano derecha abierta, nos rozamos primero la frente, luego el pecho, de nuevo la frente y se finaliza con una ligera inclinación de cabeza hacia delante, mientras se gira la palma de la mano hacia el interlocutor. Simple pero afectuoso, este gesto significa: «Te ofrezco mi espíritu, mi corazón y mi cabeza».

La expresión «como los dos dedos de la mano» viene definida por el gesto que consiste en estirar el índice y el corazón, unidos, mientras el pulgar permanece plegado en la palma de la mano con el meñique y el anular. Se ilustra así una amistad sólida  entre dos personas. Al realizarlo, se deberá evitar apuntar con los dedos hacia el interlocutor, para no confundirlo con otros gestos similares, que simbolizan ordenar o provocar.

No obstante, si el pulgar se une a esos dos dedos, totalmente estirados, y el autor realiza un movimiento rápido y seco hacia delante y atrás, el gesto tiene un sentido distinto: se está amenazando al interlocutor con una imputación o una respuesta moral. Este gesto imita la acción de clavar una daga en el cuerpo de un enemigo.

En el mundo árabe, según nos tocamos una u otra parte concreta del cuerpo con el índice derecho, estamos demostrando la sinceridad de nuestros propósitos o alguna otra faceta de nuestra integridad.

Así pues, cuando uno se toca la boca, se confirma que lo que se dice es verdad. Cuando uno se toca el corazón con el índice derecho, se está indicando al interlocutor: «Que me muera ahora mismo si no digo la verdad». El índice sobre la frente indica que se piensa verdaderamente lo que se está diciendo. Finalmente, si la persona coloca la punta de este dedo por encima del ojo, está declarando haber presenciado lo que detalla.

Este último gesto cuenta con una variación, que tiene un significado equivalente en Europa. Efectivamente, sobre todo en Holanda, una persona que coloca la punta de los dos índices sobre los dos párpados superiores está afirmando, mediante el gesto, que ha presenciado un suceso que puede certificar.

Brasil

En Brasil, el gesto de acariciarse la parte delantera del mentón con el pulgar y el índice significa que las negociaciones son satisfactorias o que la transacción en curso está asegurada. En otros muchos lugares, como en Canadá, evoca más bien perplejidad o duda.

Otro gesto típico brasileño: el de sujetarse el lóbulo de la oreja con el pulgar y el índice añadiendo un ligero movimiento de agitación. De este modo se está indicando que se ha conseguido lo que se quería o que la información suministrada por nuestro interlocutor es adecuada. Se utiliza con frecuencia al final de una velada agradable, a fin de cumplimentar al anfitrión, o incluso en el momento de finalizar un negocio.

Fíjate que no existe relación alguna con otro gesto, más nuestro, que consiste en estirarse la oreja.

España

En España, cuando una mujer vive un momento de gran frustración o una decepción, se coge un único pelo entre el pulgar y el índice, y lo estira verticalmente. El símbolo en el origen de este gesto radica sin ninguna duda en el del hilo por encima de la cabeza.

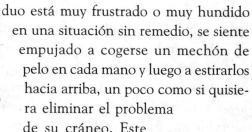

De manera general, puede observarse que cuando un individuo está muy frustrado o muy hundido en una situación sin remedio, se siente empujado a cogerse un mechón de pelo en cada mano y luego a estirarlos hacia arriba, un poco como si quisiera eliminar el problema de su cráneo. Este gesto está probablemente en el origen de la expresión «quedarse calvo de tanto pensar».

Por otra parte, cuando los jóvenes se arrancan un cabello de la cabeza, para a continuación soplar encima, están haciendo un pacto de amistad o sellando una promesa común.

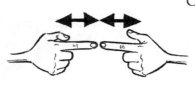

Cuando en España una persona no está de acuerdo con su interlocutor, lo ilustra colocando los dos dedos índices enfrentados para a continuación realizar un movimiento repetitivo de ida y vuelta entre sí. En este gesto, los dos índices representan el yo y el movimiento traduce el enfrentamiento entre ambos individuos. En algunos casos eso puede implicar una invitación al conflicto o al duelo.

Uno de los gestos más extendidos en España consiste en imitar la cornamenta de los toros, animal mítico de la Península. El índice y el meñique señalan al interlocutor, mientras que el pulgar se dobla en el interior del resto de los dedos en la palma de la mano. Simboliza la furia de un toro embistiendo, con intención de destruir todo lo que halle a su paso.

Hay quien lo interpreta como una provocación, mientras que otros apuestan por la hipótesis del toro desposeído de las joyas de la familia o castrado. Eso correspondería, en cuanto a sentido, al gesto del dedo de honor, tan extendido en Norteamérica: el dedo corazón apunta hacia el techo, con los nudillos de cara al interlocutor, mientras que el resto de los dedos estarían plegados en la palma de la mano.

Otra postura de insulto y de rabia inspirada en los toros: en esta ocasión se colocan ambos índices cerca de las sienes, levantados hacia el cielo, imitando la cornamenta. Es interesante el hecho de que en Japón este gesto simboliza más bien

al diablo, y se suele hacer para lanzar graves acusaciones de infidelidad y deslealtad.

Francia

En este país, quien desea expresar su complacencia junta los extremos de los dedos índice y pulgar para conformar un círculo; a continuación los lleva a los labios y da un beso sonoro, que desata el círculo. Este gesto traduce una gran satisfacción, alegría e incluso gratitud. Adoptado sobre todo en el medio de la restauración por los cocineros que prueban sabrosos manjares, implica que el plato o la comida son exquisitos.

Un francés que se da cuenta de que su interlocutor está exagerando o que inventa, infla las mejillas y, ejerciendo presión con ayuda de la mano, comprime una de las mejillas para dejar escapar el aire entre los dientes. Este gesto imita el globo de mentiras o exageraciones, que se desinfla, e invita al interlocutor a continuar su discurso con más credibilidad.

A fin de representar a un borracho o a alguien que ha bebido de más, los franceses tienen la costumbre de colocar el puño de una mano por delante de la nariz, para a continuación hacerlo girar en uno y otro sentido en varias ocasiones, un poco como si se estuviese descorchando una botella con los dedos. Este gesto implica que una persona ha abierto muchas botellas.

Para ilustrar la despreocupación y la pereza de una persona, se unen los extremos del índice y del pulgar de una mano, y se sigue la línea de un hilo imaginario hacia el cielo partiendo del centro de la palma de la otra mano. El simbolismo de este gesto tiene gracia: la persona en cuestión trabaja tan poco que le podrían crecer pelos en la palma de la mano.

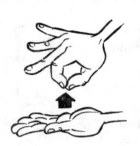

Grecia

En ese país, quien agita vigorosamente la palma de la mano, con los dedos corazón e índice estirados en forma de V por delante del rostro de su interlocutor, le estará expresando con mucha claridad que puede irse a «hacer puñetas». Este gesto supone un rechazo categórico por parte del que lo hace.

Si un día te encuentras hambriento estando en Grecia, éste es un truco para que te entiendan de inmediato: pon la palma de la mano mirando hacia el techo y realiza un movimiento de vaivén a la altura del estómago. Este gesto simboliza dos cosas: cortar el pan y preparar la comida.

Otro que puede tener varios significados es tocarse de manera repetida el labio inferior con la punta del dedo índice. Como la boca desempeña diversas actividades, como hablar, comer, beber y besar, el sentido del gesto puede variar dependiendo del contexto. Por ejemplo, puede traducir un gran deseo de hablar con una persona o incluso de comer.

Quien coloca el dorso de la mano bajo el mentón y luego la proyecta hacia delante, en dirección a su interlocutor, le indica que se siente escéptica o incluso que considera que lo que está diciendo no es correcto. En pocas palabras, este demuestra la incredulidad de esa persona y pone en duda la honradez del interlocutor.

El gesto de alguien que tiene el brazo tendido hacia delante, con la palma de la mano ante el rostro de su interlocutor,

suele significar que se está ordenando a éste que detenga su maniobra o cese de atacar.

No obstante, el origen de este gesto proviene de una muy antigua costumbre bizantina, en la que se encadenaba a los malhechores para exhibirlos en la plaza pública. Esta acción reproduciría la escena en la que el pueblo perseguía a los culpables de un delito, recogiendo basura del suelo para a continuación lanzársela a la cara. Normalmente se realiza este movimiento cuando se quiere enviar al infierno al otro.

Hay una expresión todavía más fuerte de este gesto, que consiste en estirar ambos brazos ante el interlocutor, adoptando la misma postura. Indica una grosería enorme por parte de éste y una invitación a perderse. En otras regiones, esta variación de dos brazos es, para el autor del gesto, una forma de indicar a su interlocutor que está entrando en su burbuja de intimidad y que deberá efectuar un retroceso físico o simbólico.

Japón

En el país del Sol Naciente, la persona que se acaricia el pulgar con el índice, conformando un círculo, está reclamando, mediante este gesto, más dinero o bien invitando a su interlocutor a proponerle un precio mejor. La postura simboliza, claro está, una moneda.

Cuidado si un japonés levanta una de las manos en tu dirección, con cuatro dedos estirados y el pulgar plegado en la palma de la mano. Se trata de una amenaza seria. En la simbología nipona, los dedos separados traducen la individualidad de los miembros de la sociedad, por oposición al grupo. Significa que la comunidad te rechaza.

Cuando un ciudadano de este país oriental se encuentra en un punto muerto o es sorprendido cometiendo un delito, cierra el puño y, mediante un movimiento brusco, se lo lleva directamente a la altura del estómago. Este gesto representa la famosa postura del haraquiri, que es una forma de suicidio y de sacrificio practicado desde siempre en Japón. Es una manera de decir a los presentes: «Prefiero morir que perder el honor».

Si se presencian tensiones o cualquier disputa entre dos personas, puede resultar oportuno tocarse rápida y repetidamente la punta de los dos índices, dispuestos en paralelo. Este gesto simple y sutil previene a las demás personas presentes de

que se abstengan de realizar comentarios o de tomar partido.

Como ya hemos visto anteriormente en otros países, el gesto consistente en poner las manos a cada lado de las sienes con los índices señalando hacia arriba y curvando las extremidades evoca los cuernos del diablo.

No obstante, en Japón significa otra cosa. En el momento de la boda, el futuro esposo lleva una cofia específica llamada «oculta cuernos» a fin de disimular sus celos. Este gesto tiene su origen, pues, en esta tradición. Cuando un individuo tiene la impresión de que existe una posibilidad de competencia amorosa, lo realiza para implicar que cree que hay alguien que está celoso.

El gesto casi universal para decir no consiste en efectuar un movimiento de cabeza repetitivo, de izquierda a derecha y de derecha a izquierda. No obstante, en Japón, para expresar negación, se coloca la mano derecha delante de la cara, con la palma girada hacia la izquierda, realizando un movimiento de vaivén, como un limpiaparabrisas. La mano ocupa el lugar de la cabeza para negar.

Otro gesto de negación es el que utiliza la persona que cruza los dos antebrazos delante del rostro en forma de X, con las palmas vueltas hacia el exterior. El mensaje es «no» o «no

se puede». Este gesto también se ejecuta para alejar las maldiciones y el daño que pueden provocar ciertos comportamientos.

India

En la India, el gesto de las dos manos juntas palma con palma, con los dedos estirados hacia el techo, y acompañado con una ligera inclinación de la cabeza hacia delante, se traduce como una forma de saludo o reverencia.

Pero en el mundo cristiano, alguien que junta las palmas de las dos manos indica que reza. En principio, este gesto representaba el estado de cautividad de una persona. Por otra parte, no hay más que escuchar las palabras del practicante, que declara ofrecerse y abandonarse por completo a Cristo, para descubrir la simbología original.

Indonesia

En este archipiélago, la persona que se hace cosquillas en la axila con el índice y en público, expresa a su interlocutor que el chiste o la historia que cuenta no tiene ninguna gracia o que carece de interés. El autor del gesto ilustra que, para llegar a reír, debe hacerse cosquillas a sí mismo.

Cuando en este país insular se coloca una mano cerrada por debajo del mentón y ésta se lanza hacia delante con brusquedad, se está avisando al interlocutor que se le considera responsable del estado en que se encuentra. Se trata de una forma de juicio severo con respecto a todo lo que el contrario dice estar viviendo.

Italia

En primer lugar, empezamos con el gesto que más se asocia con los italianos. ¿Quién no ha visto alguna vez a un italiano juntar las yemas de los cinco dedos, sacudiendo repetitivamente la mano hacia delante y atrás? Este gesto implica una interrogación. Por lo general, las palabras que lo acompañan son: «Pero ¿qué estás diciendo?», o: «Pero ¿qué estás haciendo?», o incluso: «Pero ¿qué es todo esto?».

La rapidez del movimiento de la mano muestra la urgencia de la situación y la necesidad de responder o actuar. Y como va acompañado de cierta cólera o agresividad, la gravedad de la pregunta o de la crítica cobra más intensidad: «Especie de idiota, ¿por qué estás haciendo eso?».

¿Recuerdas que antes ya hemos mencionado que los meñiques corresponden al corazón, al amor y la ternura? En Italia, cuando una persona engancha los dos meñiques está anunciando la posibilidad de una relación oculta entre dos individuos.

También suele observarse a adolescentes realizando un gesto parecido en diversas partes del mundo: se agarran de los meñiques. En este caso, el gesto evoca más bien la profunda amistad que los une o la solidez de un acuerdo al que han llegado.

Hoy en día, al igual que en la antigua Roma, es corriente observar, en el curso de un apretón de manos entre hombres, que se agarran simultáneamente del antebrazo derecho. El origen de este gesto es romano y simboliza la postura del guerrero que agarra la empuñadura de su espada.

Existe un gesto muy extendido casi por todas partes para llamar la atención, y consiste en golpear varias veces con el puño sobre una superficie horizontal.

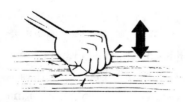

Ejecutado sobre una superficie de madera, también puede traducir una creencia supersticiosa, que supone que si se toca madera se está protegido contra la mala suerte. Antes, sólo las articulaciones de la mano derecha golpeaban sobre madera de roble para conjurar la mala suerte. Esta costumbre se remonta a la época en que los cristianos tocaban madera para solicitar la ayuda divina, haciendo referencia simbólica a tocar la cruz. En la actualidad vale cualquier tipo de madera, mientras se pueda decir en voz alta aquello de: «Toco madera».

En Europa, una persona que pone la mano cerca de la oreja y que se toca el lóbulo de ésta con el meñique, mientras los otros cuatro dedos permanecen cerrados en la palma, está comunicando su intuición. Este gesto simboliza un pajarito que te cuenta secretos al oído. Con el tiempo, ha atravesado las fronteras y se ha convertido en la expresión mundialmente conocida: «Me lo ha dicho un pajarito».

La señal de la cruz sobre el corazón es otro gesto cristiano con un gran valor simbólico. Suele ir acompañado de la expresión: «Cruz de madera, cruz de hierro, si miento, que arda en el infierno», y se realiza cuando una persona asegura estar diciendo la verdad. Una vez efectuado el gesto, se centuplica la sensación de culpabilidad si se pronuncia una mentira. Se trata de un gesto muy extendido en la actualidad, sobre todo entre los exploradores y otras asociaciones juveniles.

El famoso corte de mangas debe sin duda su gran popularidad al cine, donde ha aparecido bajo múltiples encarnaciones. Para realizarlo, el italiano levanta el codo sobre la palma

de la mano opuesta y, con el antebrazo tendido por delante, la mano abierta hace que la palma regrese en su dirección, realizando un movimiento de vaivén con el antebrazo. Este gesto invita, sin ambages, a que el interlocutor se vaya a «hacer puñetas».

Para intensificar el gesto vemos que a menudo la gente se muerde además el labio inferior. Cuando se realiza con el puño cerrado, el tono aumenta un grado, dándole a entender al interlocutor que lo mejor es que desaparezca cuanto antes.

Cuando éramos niños, en muchos lugares del mundo, los padres elogiaban nuestras cualidades y logros pellizcándonos afectuosamente la mejilla. Este gesto sigue vigente en Italia, incluso en la edad adulta, para ponderar a otra persona o para cumplimentar al anfitrión tras una buena comida. La persona se pellizca luego su propia mejilla entre el pulgar y el índice.

En Italia, cuando se trata de expresar que un asunto no huele bien, se sitúa el índice y el dedo corazón a cada lado de las fosas nasales y se los mueve de izquierda a derecha. La imagen simbólica es la de alguien que mediante este gesto intenta evitar que aquello que apesta entre en su nariz.

Una persona que pone el dedo índice estirado a lo largo de una de sus fosas nasales, para a continuación hacerlo bascular por delante de la nariz, está informando al interlocutor que ciertos individuos están conchabados y le previene para que permanezca atento. Por lo general, el interlocutor responderá realizando el mismo gesto para confirmar que toma buena nota de la información y que ambos comparten un secreto. Este gesto se ha convertido en una especie de marca de la casa de la película *El golpe*, con Robert Redford y Paul Newman.

Finalmente, y siempre hablando de Italia, una persona que hace la señal de la cruz con la punta del pie sobre el suelo está declarando solemnemente que no pondrá nunca los pies en ese sitio. También es una manera simbólica de echar una especie de maldición a los sitios y a sus propietarios.

Líbano

En este país, un movimiento rápido de una mano abierta, girándola hacia el techo y luego hacia el suelo, traduce un cambio de la situación o, más generalmente, avisa al interlocutor de que su propuesta no es lo suficiente seria para ser tenida en cuenta.

El autor del gesto está así expresando que se siente ofendido o insultado por la oferta del contrario.

Un libanés que coloca delante de él la mano derecha abierta, con la palma mirando al cielo, y que inclina la cabeza ligeramente hacia atrás, está declarando que jura o promete algo a su interlocutor.

En América, ese juramento se ilustra de diversas maneras, sobre todo con ayuda de una mano abierta cuya palma toca el corazón.

Por otra parte, si un libanés muestra no una, sino ambas manos abiertas cara al cielo, inclinando la cabeza hacia atrás, muestra que está pidiendo ayuda o que informa a su interlocutor de que acepta la proposición o la situación.

Malasia

En la mayoría de los países del mundo, se saluda al prójimo con un gesto de la mano o un apretón de éstas. No obstante, en Malasia los saludos son de otra manera: se cruzan ambos brazos sobre el pecho, apoyando las manos en los hombros y, mediante una inclinación, se echa la cabeza y el cuerpo hacia delante.

En algunas zonas de Asia, como en Japón o en China, el contacto físico no está tradicionalmente bien considerado. Tal vez eso explique que los rituales de saludo eviten por lo general los gestos de contacto directo con la otra persona y den prioridad a los saludos individuales; de este modo se respetan las distancias de familiaridad, así como las zonas de comodidad social.

Holanda

Cuando una persona se pone la mano bajo el mentón, con la palma hacia el cuello, realizando un movimiento repetido de arriba abajo, está informando de este modo a su interlocutor de que su discurso le resulta mediocre e interminable. Este gesto es la imagen de un hombre al que le crece la barba de tanto escuchar. Ha cruzado muchas fronteras y encuentra expresión incluso en el dicho: «Esta historia es tan vieja que tiene barba».

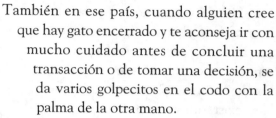

También en ese país, cuando alguien cree que hay gato encerrado y te aconseja ir con mucho cuidado antes de concluir una transacción o de tomar una decisión, se da varios golpecitos en el codo con la palma de la otra mano.

En el caso de que alguien se sienta insultado o amenazado, una respuesta gestual bastante conocida es la

siguiente: sobre un índice inmóvil se cruza el otro índice por encima, y luego se realiza un movimiento lateral sobre el que permanece inmóvil. Este gesto reproduciría la acción de afilar la hoja de un cuchillo antes de utilizarlo para atacar.

Hay un gesto muy parecido que se emplea por todo el mundo. Pero en este caso, el índice frota con firmeza y de manera repetida el otro índice inmóvil. El sentido, por el contrario, es del todo distinto: traduce más bien una sensación de vergüenza y molestia. Los niños lo usan con cierta frecuencia cuando presencian un mal golpe.

Siguiendo en Holanda, para demostrar al contrario que uno se compromete o realiza una promesa solemne, es costumbre poner la punta de los dos índices sobre los párpados cerrados. Al hacerlo, se promete honradez y fidelidad hacia el interlocutor, precisando de manera muy imaginaria que toda mentira será castigada con la ceguera.

Entre los cristianos existe la señal de la cruz sobre el corazón, que confiere a las declaraciones que se hacen una especie de certificado de veracidad. Finalmente, en Norteamérica también existe un gesto para demostrar unas garantías parecidas: se apoya la mano sobre el corazón, mientras que con el otro brazo se conforma una L, levantando la palma de la mano.

Cuando se está exasperado, se está harto de una situación, en otras palabras, cuando estamos «hasta el gorro», se expresa esta emoción creciente colocando un pulgar entre los labios, que permanecen cerrados, y se hinchan los mofletes. Es una manera como cualquier otra de reprimir la exasperación. Pero sobre todo una forma original de mostrar al interlocutor el estado anímico en que uno se encuentra.

Portugal

Cuando un portugués quiere expresar una ansiedad o un gran temor, junta los extremos de los cinco dedos de una mano para a continuación efectuar un rápido y repetido movimiento de apertura y cierre.

Este gesto simula las palpitaciones cardíacas de alguien que siente pánico y una gran inquietud.

Otro original gesto típicamente portugués: el índice y el dedo corazón se sitúan bien derechos a cada lado de la nariz, realizando un movimiento hacia delante. El autor de esta acción quiere indicar de esta manera que está sin blanca. Es ni más ni menos que una petición de ayuda o de rebaja del precio. El gesto simboliza tener la nariz atrapada entre la puerta del banco y la de la tienda.

Oriente Medio

En Oriente Medio, cuando un hombre toca delicadamente la mano de una mujer, frotando con suavidad el dorso y los nudillos mediante el pulgar, en un movimiento de vaivén, le expresa su deseo sexual. Es delicado pero sugestivo.

Alguien que se golpea el pecho delante del corazón con la palma de la mano está simulando los latidos cardíacos con objeto de manifestar pánico y pedir apoyo moral o físico.

Ahora ya sabes que el índice corresponde al «yo» o al «mi» de las manos. En esta región del mundo, para afirmar una gran amistad y mucha complicidad entre dos personas, se unen los dos índices, lado a lado, y después se

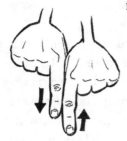

frotan entre sí con un movimiento hacia delante y atrás.

Quien coloca este dedo en la palma de la otra mano abierta, aplicando una ligera presión y efectuando un pequeño movimiento circu-lar, está demos-trando su escep-

ticismo respecto a las palabras de su interlocutor. Indica que no hace más que dar vueltas sobre lo mismo y le invita a proporcionarle otras informa-ciones, a que la situación avance.

En casi todos los sitios, el ser humano se sienta con las piernas formando un 4, es decir, con una pierna cruzada sobre la otra. Pero en estas regiones más vale evitarlo, pues tiene un sig-nificado dramático. En efecto, el hecho de mostrar, al adoptar esta postura, la suela del zapato se consi-dera un insulto máximo y, en algunas

circunstancias, una invitación personal al ce-menterio. Como la suela se halla en el extre-mo inferior del cuerpo, mantiene contacto con la suciedad de éste y, en consecuencia, simboliza algo que hay que ocultar.

Alguien que se ponga la palma de la mano, abierta, plana e inmóvil, sobre la cabeza está jurándole por su cabeza al inter-locutor que cumplirá lo que ha prometido.

Por otra parte, cuando al realizar el mismo gesto, la mano golpee ligeramente la cabeza repetidas veces, la persona indica que le va a saltar la tapa de los sesos, y que a partir de ese momento podría perder el control y encolerizarse.

A veces se trata más bien de un movimiento lateral de la misma mano sobre la cabeza, para en esta ocasión manifestar que la situación está fuera de control o que a esa persona le está ahogando la cantidad de trabajo que tiene. A menudo puede escucharse, simultáneamente, la expresión: «¡Estoy hasta el gorro!».

Turquía

En Turquía, cuando se cruzan y descruzan varias veces los dedos índice y corazón, se está previniendo al interlocutor de que, si continúa por ese camino, se acabará discutiendo. En otras palabras, ese mismo gesto anuncia que no está lejos el momento de la ruptura de la amistad, de una separación, etc.

El turco que se da golpecitos en la oreja de manera repetida intenta provocar la buena suerte y conjurar el infortunio. Este gesto tiene, pues, el mismo significado que el de tocar madera o hacer la señal de la cruz, de los que ya hemos hablado. Hace tiempo, en Turquía, las orejas solían estar cubiertas de ornamentos en metales preciosos, y dichos metales tenían, según la mitología, poderes mágicos. De ahí el gesto de tocarse los ornamentos llenos de poderes para atraer la buena suerte, el reconocimiento y la riqueza.

Uruguay

Una persona que golpee con el codo flexionado sobre una mesa o un mostrador está manifestándole al comerciante o a su interlocutor que el precio le parece demasiado caro. También puede realizar este gesto para expresarle que le parece un rácano. ¿Será ésa la razón por la que las mesas de los mercadillos están siempre repletas de objetos? De ese modo los vendedores parecen querer protegerse de los codazos en la mesa...

EPÍLOGO

¡Ya puede andarse con ojo la gente de tu entorno y tus interlocutores! Ahora cuentas con todas las herramientas necesarias para convertirte en un especialista de los gestos, para así llegar a interpretarlos con precisión. Realizando diversas observaciones prácticas, podrás llevar a cabo una interpretación más profunda de la gestualidad que acompaña tus conversaciones. Aunque observar el lenguaje gestual es fácil, saber traducirlo con exactitud resulta más complicado.

Estás a punto de crear un detector de mentiras que exige una gran responsabilidad, pues te permitirá leer a las personas como si fuesen un libro abierto. Aprender a leer los gestos y saber traducirlos correctamente es tan complejo como aprender un idioma extranjero. Si lo dudas, contéstame si crees que puedes aprender una lengua desconocida en el mismo tiempo que has empleado en leer este libro. Responderé en tu lugar sin temor a equivocarme: me parece a mí que no.

El primer principio que hay que seguir, a fin de convertirnos en hábiles traductores de los mensajes no verbales, es tomar en cuenta todos los componentes del intercambio, sin llegar nunca a excluir un elemento de prueba. Escuchar con los ojos es una decisión para la cual, sin duda, es necesario examinar todos los factores que acompañan a los gestos: las personas, el contexto, las actitudes, las emociones, los deseos y los miedos. Todos, tanto unos como otros, son las raíces, el origen de los gestos, pues es necesario reconocer que la gestualidad nunca es fruto del azar. Consciente o inconscientemente, un gesto o una serie de ellos se manifiestan en un contexto muy preciso y en la atmósfera particular del momento.

Segunda regla de oro: es absolutamente necesario comprometerse continuamente a verificar un gesto con el interlocutor antes de extraer ninguna conclusión. Si no intentas realizar tu aprendizaje en la práctica y te limitas a los aspectos teóricos, es como si desempeñases las funciones de un juez que tuviera que emitir una sentencia sin disponer de pruebas.

Del mismo modo que el lenguaje no verbal posee una gran riqueza de significados, saber descifrarlo correctamente constituye un poder inestimable. Dominar esta aptitud te permitirá comprender mejor el estado anímico y mental de tu interlocutor y fomentará una relación sana. Para conseguir llegar a dominar la interpretación del lenguaje corporal, es necesario observar, verificar y deducir. La clave del éxito radica en que inviertas tiempo y en tu pasión por descubrir la esencia de las personas.

Conviene volver a repetir una afirmación realizada en el libro: no existe ninguna persona más dispuesta a descodificarnos la gestualidad que nosotros mismos. Por ello, es necesario que interpretes tus gestos POR TI MISMO. Antes de empezar a leer los de tu entorno, resulta muy formativo verificar el significado de los tuyos. Para realizar tu propio diagnóstico, ten en cuenta tu estado anímico, tu actitud, tu comportamiento y tus sentimientos. Serás a la vez el creador, el profesor y el alumno de tu propia gestualidad.

Conviene que al principio te limites a un único gesto, al menos durante un cierto período de tiempo, antes de entrar a fondo en la gestualidad, a fin de no empacharte de lenguaje no verbal. Realiza tus propios análisis y experimentos, duda de todas las afirmaciones vertidas en este libro y verifica cada una de ellas por ti mismo. Te invito a ser tan curioso como un niño, tan soñador como Einstein, a dudar como santo Tomás y a demostrar sabiduría en el proceso como el Buda. ¡Todo un programa!

Este proceso es parecido a los ingresos repetidos que hay que hacer en el banco a fin de aumentar el capital y recibir intereses. No obstante, un gesto es un acceso gratuito a tu esencia personal, que no escapará a quien sepa mirar.

¡Cuidado! Tus gestos te traicionan.

Para saber más acerca de mis conferencias y seminarios, visita www.guycabana.ca.

SUMARIO